9 南北朝~隋代

西元420～617年

〔注音本〕

全新 吳姐姐講歷史故事

吳涵碧◎著

目錄

【第200篇】楊堅生有異相。

自從周武帝英年早逝以後，便由周宣帝繼位，他立楊妃爲楊皇后，但是對楊皇后的父親楊堅極爲不滿。

宣帝爲什麼如此討厭他的老丈人呢？這是有道理的。楊堅在周武帝時代便極有威勢，先後出任左小宮伯、隋州刺史、大將軍等官，同時他長得相貌奇偉，不像人臣。根據隋書的記載，楊堅出身還有一段傳說：

傳說他生下來的那天夜晚，房間中彌漫著一片紫氣。突然，自紫霧之中出現一位穿著法衣的尼姑，說自己是從河東地方來的。她指著楊堅的母親道：『這個小孩長相十分奇特，不能在俗間撫養長大。』於是，尼姑在一間別館之中，親自撫養這個小嬰兒。

有一天，楊母正抱著楊堅逗著他玩，發現他的額頭上忽然冒出一個角，嚇得楊母失手把楊堅墜落到地上。

這時，尼姑剛好自外頭歸來，看到此景著急地說：『你已驚嚇我兒，使得他晚成大器。』

楊堅除了額頭上長著一個玉柱外，更奇怪的是他的手掌一打開，其中的掌紋像是一個『王』字。

由於他長相奇特，所以有許多人在周武帝面前告狀：『楊堅的眼睛像

黎明時的曙光，明亮又有神，讓人一看就怕，手足無措。恐怕不是人臣之相，請早日將他除去。』不過，另外又有人說：『楊堅是個守節之人，而且可鎮一方，若為將領，無陣不破。』所以，周武帝起初也沒對楊堅怎樣，但是一再有人在武帝跟前說楊堅貌有反相。楊堅緊張得很，小心翼翼，惟恐出了什麼差錯。楊堅的女兒嫁給了宣帝，這個老丈人也就封為上柱國、大司馬，聲勢更隆。

宣帝跟別的皇帝不一樣，他除了有楊皇后之外，還有朱氏稱為天皇后，元氏為天右皇后，陳氏為天左皇后，共稱為四后。

有四個皇后在一起，四個皇后的家庭彼此爭寵，自然是一天到晚吵來吵去。但是楊皇后個性柔弱，不妒忌，又從來不與人爭，所以每個妃嬪都喜歡她，願意和她做朋友。

前面說過，周宣帝不曉得是不是因爲小時候挨過父親周武帝的揍，特別喜歡打人。而且還規定凡挨板子至少一百二十大板，稱之爲天杖，以後更增加到二百四十大板。連宮人妃嬪也是說打就打。

有一次，宣帝責打楊皇后，奇怪的是楊皇后非但沒有鬼哭神號，反而依舊舉止詳閒，辭色不撓，保持一派大家閨秀的優雅風範。這可把宣帝惹火了，他竟然下令楊皇后自盡。

楊皇后的母親，也就是楊堅的太太，宣帝的丈母娘獨孤氏聽到消息，急忙跑到宮闈裡來，跪在地上向宣帝求情。一面口中喃喃討饒，一面用力的叩頭，到後來，叩得滿頭鮮血，宣帝才說：『好吧，饒了她這一回。』撿回楊皇后一條小命。

這個時候，楊堅已被任命爲大前疑（官名，是周宣帝時，中央政府四個重要官員之一），德高望重。宣帝看著心裡不是滋味，他忿忿地對楊皇后說：『我一定要殺死你父親，滅你家族。』

過了沒多久，宣帝召楊堅入宮。在楊堅未入宮門之前，宣帝對左右的人說：『他如果看起來不對勁，臉色變動，看我不殺了他才怪。』

大家都屏息以待楊堅進來送死。楊堅當然也聽說了這個女婿想滅楊家家族之事，他雖然心存畏懼，仍然一步步進入。

楊堅邁著方步緩緩踏入，從容不迫、神色自若，一雙曙眼仍然使人望而生懼，完全看不出來有任何不自然的神態。宣帝找不到破綻，只好放過這個老狐狸一馬了。

雖然楊堅逃過這一次，難保下一次還能倖免，所以楊堅心中十分不安。他在宮中長巷悄悄地對內史上大夫鄭譯說：『我希望早一點能調到外藩去，這是你知道的，如果有機會，拜託代我留意一下。』

鄭譯是宣帝的親信，說：『以公德望，天下歸心，我哪兒敢忘記你所託的事；我這就準備去爲你說情。』

鄭譯到了宮裡，對宣帝說：『如果陛下想要平定江南，必須派遣重臣先前往鎮壓安撫，不如先把隋公楊堅派出去打前鋒。』

宣帝接受了鄭譯的建議，派楊堅為揚州總管，前往壽陽。楊堅正要上路，忽然生了足疾，沒法子動身，事情就擱置下來了。就在同一時刻，荒唐的宣帝忽然得了一種怪病，講不出話，喉頭瘖啞，沒過兩天就死了。太子宇文闡即位，局勢完全改觀。

閱讀心得

【第201篇】楊堅當了北周輔政大臣。

北周宣帝死後，他的兒子宇文闡即位，年僅八歲，是爲靜帝。

靜帝年紀很小，必須有一個輔政的大臣，宣帝臨終之前已不能說話，身旁只有寵信的臣子鄭譯和劉昉，這兩人和楊堅私交不錯，他們替宣帝寫遺詔時，便在遺詔中指定楊堅爲輔政大臣，總管中外軍政大權。逼著御正中大夫顏之儀在詔書中連署。

顏之儀一看即知絕非宣帝的遺詔，拒絕簽署。他厲聲對鄭譯、劉昉說：

『主上升天，嗣主年幼，輔佐重任，應該是由宗室中才略過人者擔任。現在宗室之中趙王招年歲最長，以親以德，都應該推他輔政，怎麼會輪到楊堅？公等備受朝廷厚恩，應當盡忠報國，怎麼能夠把神器假手外人？之儀唯有一死而已，不能夠從命。』

楊堅等知道顏之儀是個硬骨頭，沒法子讓他屈服。於是代顏之儀在遺詔中簽了一個名字，楊堅便大搖大擺坐上輔政大臣的寶座。

然後，楊堅又向顏之儀索取天子的兵符六璽，顏之儀不肯給，他正色的說：『這是天子之物，自有主者，宰相何故索之？』

楊堅很生氣顏之儀的不識好歹，恨不得馬上把他推出去斬了。但是顏之儀極具聲望，楊堅只好派他到西邊荒地當郡守。

當時北周的羣臣並沒有完全歸心於楊堅，楊堅派遣盧賁率領臣子前往東宮。百官不知該何去何從，楊堅便召集公卿誘惑道：『想要得到富貴的跟我走。』可是臣子們還是低著頭聚在一起耳語，不能決定去向。其中有個臣子眞的要離開楊堅，楊堅立刻派兵阻攔。他就用這種利誘與脅迫的方法，暫時控制住局面。

當時漢王宇文贊住在後宮之中，常常與靜帝同坐帳中。楊堅因爲要控制靜帝，嫌宇文贊討厭。於是，楊堅派人找了許多年輕貌美的女伎送給宇文贊，宇文贊要與女伎同樂，自然遠離了靜帝。

接著，楊堅又派人告訴宇文贊：『大王爲先帝的弟弟，衆望所歸。皇上年幼哪堪重任？現在先帝剛剛過世，人情紛擾不安，王暫且先歸府第，等到過一陣子後再入宮爲天子，此爲萬全之計。』

宇文贇年紀小，識見淺，傻傻呆呆的被趕出宮外，還以爲自己將來會當皇帝。趕走宇文贇後，楊堅拔去眼中釘，更進一步著手篡奪政權。

宗室之中最有力量的趙王招，眼看著大勢將去，準備一不做二不休先殺了楊堅再說。

趙王招安排了一個宴會邀請楊堅參加，他左右都佈滿了壯士，帳帷中、案席下也暗暗放了利刄。楊堅呢，則不許帶人進入，只有大將軍元冑坐在門外相隨。

宴會之中，雙方虛情假意，談笑風生。酒酣耳熱之後，趙王招隨手用佩刀刺起一塊瓜果送到楊堅的嘴邊；表面上是親熱地爲他佈菜，事實上是想一刀刺中楊堅的喉嚨。

楊堅在這種危險的情況之下吃了幾片瓜，這個時候，元胄忽地闖入稟報：『相府有事不可久留。』

趙王招憤怒地抽回佩刀，呵叱道：『我正與丞相在談話，你是什麼人？去去去！』派人把元胄趕走。

哪知元胄氣息激憤，怒瞪雙目，緊扣佩刀，一步也不肯離開。好像爲著保衛主人楊堅，準備與趙王招一決生死似的。

趙王招只好堆著笑臉道：『來來，來喝酒。』『我哪兒有什麼惡意？你何必這樣多疑猜忌呢？』

喝了幾杯之後，趙王招假裝要嘔吐，準備回到後閣休息。元胄惟恐趙王此去有詐，硬是把趙王扶著上坐，連說：『沒關係，休息一會兒就好了。』一連三次，趙王要回後閣，元胄都不讓他離開。

趙王招眼看走不成了，開始說喉嚨乾，要元胄去廚房幫他拿一杯水來，元胄不肯去。

這時，滕王來赴宴，楊堅下石階去迎接滕王。元胄利用此時，湊在楊堅的耳旁道：『情勢十分怪異，咱們得趕快離開。』

楊堅不相信，他說：『趙王沒有兵馬，他能做什麼？』

元胄道：『話不是這麼說，他們若先發動，我們就死定了。』

等到楊堅回到座位，元胄聽到屋後有鎧甲相碰的窸窣之聲，他確定背後確有伏兵。一個箭步向前對楊堅道：『相府的事情多，丞相不宜留此。』

說著，扶著楊堅便往外闖。

趙王招要追來，元冑用身體掩護著楊堅，楊堅就在千鈞一髮時逃走了。

趙王招雖佈下天羅地網，但事出突然，一下呆住了，白白讓楊堅逃走。恨得兩手拊掌，用力摩擦，擦得兩手滴滿鮮血。

趙王招想害楊堅，沒有成功，使得楊堅感覺到宗室諸王實在是一個威脅，於是展開了殺戮行動，大殺北周宗室諸王。

楊堅當了輔政大臣，北周的一些老臣內心不服，尤其那些在外地擔任『總管』官職的老臣，手握兵權，起來反抗楊堅。

首先是相州總管尉遲迴舉兵聲討楊堅，接着鄭州總管司馬消難、益州總管王謙起兵響應，楊堅派韋孝寬和王誼率領久經訓練的府兵，把反對者一一消滅，使楊堅的政治地位更加穩固。

楊堅只做了十個月的輔政大臣，便強迫北周靜帝讓位給他。楊堅在輔政時期被封爲隨王，登基做了皇帝，本想用『隨』做國號，可是『隨』字有『辵』字旁，似乎不太吉利，於是，去掉『辵』而稱『隋』，楊堅就是隋文帝。

閱讀心得

【第202篇】

一袋乾薑。

上一篇我們說到，處心積慮的楊堅終於搶到了皇位。在開皇元年改服紗帽黃袍，坐上臨光殿中天子的寶座，是爲隋文帝。

楊堅的女兒，也就是周朝宣帝的皇后，原本還很高興楊堅假造遺詔，奪得輔政大權。因爲自從她那荒唐丈夫過世後，繼位的宇文闡年紀太小，需要有強人幫助。所以楊堅的僞造遺詔，楊后雖未參與，內心卻十分快慰。等到楊堅當上輔政，野心漸露。楊后知道父親懷有異圖時，相當憤憤不平，在言語態度上都表現出強烈的不滿。每次看到楊堅，一張臉總是拉得好長，卻也無法阻止楊堅篡奪周朝的企圖。

後來，楊堅終於『欺人孤兒寡婦』滅掉了北周。楊后更爲悲傷，覺得自己對不起夫家周朝，格外的憤恨惋惜，終日以淚洗面。

楊堅利用女兒的關係搶到了皇位，心中有些兒慚愧，所以把楊后改封爲樂平公主。不久，楊堅又想勸楊后改嫁，幫她另覓一條新路。

誰知楊后是個堅貞的烈女子，寧死不肯改嫁。楊堅怕逼急了楊后會尋短見，也就不敢再提這件事。

楊堅能夠這麼快的奪得天下，除了佔有老丈人的便宜之外，還有一個主要的原因——漢人力量的擡頭。

自從鮮卑人統一北方，建立北魏之後，鮮卑人對漢民族文化極爲仰慕；在北魏孝文帝時遷都洛陽，把胡兒變漢人。漢化的結果，提高了鮮卑人文化和生活上的程度，卻使得鮮卑人失去壯悍之氣，染上漢人的許多毛病，例如奢侈、文弱等。久之，政權慢慢落入漢人手裡，楊堅正是漢人的代表。再加上宣帝的胡攪、靜帝的幼弱，以及一般人民希望脫離異族的控制，所以楊堅輕而易舉的奪下江山。

楊堅雖然對政敵手段嚴苛，對老百姓倒是頗爲仁愛，大概是因爲一般民衆對他的政權不會有威脅吧。

他當上皇帝以後，首先修改刑律。廢除了恐怖的梟首（把頭割下來掛在高竿上示衆）、轘裂（在大街上分屍）的刑法，只留下斬、絞兩種死刑；

並且規定死刑犯，地方官吏不得擅自處決，要報到中央政府辦理。這一套較前朝精簡的法律，稱為『皇律』。一共減去了死罪八十一條，流罪一百五十四條，徒杖之罪千餘條，是法律上一大進步。

楊堅每天很早就上朝處理政事；當他乘輿外出，路上逢有百姓告狀，一定停下馬來仔細垂問。他並且派遣許多人到地方探聽風俗習慣、吏治得失、人間疾苦。

有一年，關中地方鬧了饑荒，他派遣左右去查看：『去看看老百姓都吃些什麼？』

等到來人回報，百姓苦不堪言，吃的都是一些豆屑、雜糠等平時用來餵豬的食物，楊堅難過得當場流下眼淚，撤去滿桌的山珍海味，而且以後將近一年之中不近酒肉。事實上，平時除去宴會以外，他桌上的菜只有一個是葷菜。

由於楊堅以身作則，所以朝臣之下都不得衣綾綺，不得有金玉之飾，衣服多用布製，裝飾也不過是銅鐵骨角而已。

隋文帝可能是中國古代最節儉的皇帝了，皇宮內后妃宮女的衣服都一再洗濯，不許常換新衣，他自己的馬車破舊了，命令隨時修理，不許換新。有一次，文帝要賞賜給大臣劉嵩之的妻子一件衣領（類似今天婦女用的披肩），管理宮中衣物的宦官報告皇帝，宮中沒有一件衣領是新的，弄得文帝很不好意思。

有一次，楊堅需要一劑止痢藥止瀉，這止瀉藥內需要用胡粉一兩，竟然在宮中找不著這味胡粉，可見當時宮中的儉樸。

還有一回，楊堅看到宮中僕役扛著布袋往前走，走得氣喘吁吁，滿頭大汗。楊堅便把工人叫住，問道：『你袋子裡裝的是什麼？讓朕看一看。』『沒有什麼，不過是炒菜用的乾薑罷了。』工人恭恭敬敬跪在地上，回答楊堅的問話。

誰知楊堅一聽之下，臉色一沉怒聲道：『乾薑哪裡用得了這許多，一盤菜裡最多只要用一小片就夠了，你們怎麼如此浪費？』

薑可說是最便宜的東西了，許多家庭主婦上菜市場，菜販經常會贈送一兩塊薑。然而楊堅爲著這一袋薑，足足發了幾天的脾氣，嚇得宮中上下個個吐舌頭。彼此互相警告，節約省儉，免得皇上震怒。

但是有時候，楊堅未免小氣過分。例如開皇十四年天下大旱，民不聊生，而此時各地的倉庫滿得都快要溢出來了，楊堅卻一直捨不得打開倉庫周濟饑民，所以後來唐太宗批評楊堅『不憐百姓而惜倉庫』。

無論如何，由於楊堅的勤儉，使得南北朝以來奢侈浪費的風氣為之一變。到楊堅晚年的時候，天下所儲存的糧食，足足可供五六十年之用，不得不設立許多糧倉來儲糧。據說洛口倉城周圍二十里，城內有三千個窖，每窖可容八千石。洛陽城內有個子羅倉，儲鹽達二十萬石，倉西還有六十多個窖，每窖儲粳米八千石。從這些數字推想，我們可以想像『開皇之治』的盛況。

閱讀心得

【第203篇】隔江猶唱後庭花。

自從隋文帝篡周以後，統一北方。這個時候，南方只剩下一個由陳霸先建立的陳，傳位到陳宣帝。隋文帝很想吞併陳朝，統一天下。

隋文帝剛剛即位之初，羽毛尚未豐滿，蓄意表面討好陳朝。他寫了一封信給陳宣帝，信寫得十分客氣謙虛，連書信後面署名也只寫楊堅二字，不以北朝皇帝自誇。沒有想到陳宣帝的回信卻十分驕傲，使得文帝大爲不悅。

文帝把手下的大將高熲找來，問他可有取陳的良策。

高熲回答：『江北地寒，農作物收成得晚，江南土熱，水田早熟。我們趁江南收割之時，召集少數兵馬，揚言攻擊，如此陳朝必定屯兵禦守，躭擱收穫時節；等到他們的兵馬聚集起來，我方立刻解甲。如此再三數次，陳朝習以爲常，然後我們再調集兵隊正式進攻，陳朝必定措手不及。』

『此外，』高熲又接著說：『江南土地澆薄，房屋多用茅竹搭建，財物大半藏在地窖之中。我們不妨派遣特務前去放火，等到他們修復，咱們再燒，不出數年，自然財力俱盡。』

『嗯，這倒是個好方法。』文帝頗爲讚許高熲的計策，派人赴陳朝邊境虛張聲勢，又派人去陳朝境內放火。果然使得陳朝疲於奔命，頭痛萬分。

同時，隋朝的大將楊素等倡議用水攻。文帝派楊素建造戰船，最大的主力艦稱之爲『五牙』，高百餘尺，有五層樓，前後左右一共有六個高五十尺的拍竿，用來攻擊敵船。一共能容納戰士八百人，眞是不簡單。文帝便決定了用水陸併進的辦法攻打陳朝。

至於陳朝這一方面呢？陳宣帝不久去世，傳位到陳後主陳叔寶手中，陳叔寶是歷史上有名的昏君。在光昭殿前建造臨春、結綺、望仙三閣，每閣均高數十丈，連延數十間房。其中的窗户、橫木、懸楣、欄檻，全部採用最名貴的沈香木或是檀香木，飾以金玉，間以珠翠，外邊還罩著一層珠簾。南北朝的人最喜愛的飾物即爲眞珠，要用眞珠做成珠簾，可以想見其貴重。閣内並有寶床、寶帳。總之，服飾玩用的瑰麗奇特，古所未有，又雜植許多奇花異草，每當微風吹起，香聞數里，使人心曠神怡。

陳後主最爲寵幸的貴妃叫作張麗華，張麗華本爲軍人之女，爲龔貴妃的侍兒，出身並不好。有一天，陳後主與龔貴妃宴飲之時，訝然發現龔貴妃身旁怎麼有這樣的一位美人兒，驚喜得說不出話來。

張麗華最美的地方是她的頭髮，有七尺之長，烏黑油亮像一匹黑緞，蔚爲奇觀，而且性情敏慧，有一股特殊的神采。每當她轉動雙眸，瞻視顧盼，光采耀目，照映左右，美得人們要倒抽一口氣。

單單是美貌還不夠，張麗華很懂得狐媚之術，把個陳後主迷得神魂顛倒，暈頭轉向，一時一刻離不開張麗華。乾脆把張麗華抱在膝蓋上聽政事，一邊撫弄張麗華的一頭青絲，一邊無精打采的聽臣下奏事。

因爲陳後主忙著享受美人恩，對政事心不在焉，於是坐在陳後主膝蓋上的張麗華代爲聽政。張麗華再與娘家親戚相勾結，賣官鬻爵，貨賄公行，朝廷裡烏黑一片。

陳後主最相信的臣子是施文慶，此人書讀得不少，詩史都在行，記憶力尤佳，非常會講話，心算口占，一下就滔滔不絕湧出許多話來。他建議用陽惠朗爲太市令，暨慧景爲尚書金倉都令吏，陳後主都答應了。

姓陽和姓暨兩人本來就是管會計的小吏，算帳對帳倒是纖毫不差，然而沒有氣度，不識大體，苛察加上瑣碎，使得人民痛苦萬分。因爲善於壓榨，使政府每年收入，超過平常的數十倍。陳後主高興得不得了，直誇施文慶能幹會辦事，以後人事的大權都操之於施文慶之手，文武官員個個人心渙散。

既然一切交給施文慶，陳後主可以開開心心大玩特玩。他讓張麗華張貴妃住在結綺閣，龔、孔二貴嬪住在望仙閣，三閣之間有複道相往返，陳後主愉快的在三閣之中穿梭。此外，陳後主還有王、李二美人，張、薛二淑媛，再加上袁昭儀、何婕妤、江修容等一併有寵。

宮女之中稍通文墨者，陳後主一律封爲女學士。僕射江總雖然是宰相，完全不親政務，每天與都官尚書孔範等，率領一些個無恥的文人陪著皇帝遊宴後庭。大夥在一起，嘻嘻哈哈，沒有皇帝臣子的尊卑次序，稱之爲狎客。

陳後主每日席開數十桌，一大堆狎客、女學士及諸妃嬪，鶯鶯燕燕聚爲一堂。大家邊吃邊飲邊作詩，作的都是些風花雪月的豔詩，彼此題詩贈答。

如果有誰寫了特別豔淫的好詩，陳後主立刻命令譜成新曲，挑選一千名歌女學著唱。當時流傳下來較爲有名的曲子有『臨春樂』、『玉樹後庭花』等，內容大概都是描寫妃嬪如何如何花容月貌。

君臣痛飲，通宵達旦，不知隋文帝已蠢蠢欲動，大兵已至長江。因此，今天我們諷刺人之不知死活爲『隔江猶唱後庭花』。

閱讀心得

【第204篇】新年的突襲。

隋朝的大軍已經到了長江邊上，陳後主仍然左擁右抱，好一個『隔江猶唱後庭花』。

隋朝大軍，面對著滾滾長江，高熲與行臺吏部郎中薛道衡聊天。高熲說：『現在馬上就要大舉進攻了，依你看，江東可以拿下來嗎？』

薛道衡不假思索道：『一定可以。我記得晉朝有一個預言家郭璞曾經說過，江東與中原地方分開三百年以後又會歸於統一。算一算時間，自從晉元帝南渡即位於建康到今天，一共有二百七十二年，快滿三百年了；加上我們皇上恭儉勤勞，陳叔寶荒淫驕奢，我有道而大，彼無德而小，我們一定可以席捲天下。』

高熲聽了薛道衡的分析，眉開眼笑，對未來的一仗更有信心。

此時，隋朝最厲害的大將楊素已經引舟師渡三峽，到了流頭灘，前面正是以地勢險峭著名的狼尾灘。隋朝人自北方來，未看過波濤洶湧，心中頗有幾分畏懼。

楊素當機立斷：『勝負大計，在此一舉。如果我們白天登陸，軍隊之虛實將被陳軍一覽無遺，再加上灘頭迅激，恐怕對我軍不利，不如趁夜摸黑登陸。』於是在當天夜晚，楊素親自率領著黃龍數千艘而下。

等到第二天，陳朝的軍隊看到舟艫佈滿長江，旌旗甲胄與日光相輝映。楊素安坐大船之上，容貌雄偉，氣宇不凡，陳朝民衆指指點點畏懼地說：『哇，清河公就是江神嘛。』（按，清河公是楊素的封號。）長江邊上的領主戍主，聽說隋朝軍隊浩浩蕩蕩開來了，相繼上奏皇帝陳叔寶。但是奸臣施文慶把警報都壓下來，不肯呈給陳後主批閱。情況愈來愈危急了，朝廷裡正直的大臣袁憲等，終於找著機會上報陳後主。而且前方戰事連連失利，也不容許再繼續瞞下去。

但是，陳朝該不該出兵反擊，陳後主一直沒法拿定主意。施文慶為人卑劣，為軍士們所不齒，他知道一開戰必然沒法掌握大權。所以買通宰相，力勸陳後主寬心。

陳後主被衆小人捧得暈陶陶，自大地說：『王氣在此，我怕什麼？想當初齊兵三次進攻，周師二次進討，還不都是被打得落花流水，管他是誰，若想進攻就是前來送死。』

陳朝都官尚書孔範乘機大拍馬屁，討好陳後主道：『長江乃自古以來劃分南北的天塹。今天這批虜軍莫非想飛度天塹不成？想我每因官位卑微引以爲恥，等到這批不知死活的東西想要渡江，那我一定能因爲痛斬隋軍而升爲太尉公了。』

此時又有人傳言隋朝的的軍馬死去不少，孔範連連唉聲嘆氣：『哎，等到我俘虜隋軍，這些馬本該歸我所有，怎麼竟然死了呢？眞可惜。』

陳後主看到孔範驕狂的神態，以爲陳軍士氣旺盛，笑得合不攏嘴。既不嚴密防備，亦不放在心上，仍然每天陪著長髮美人張麗華飲酒作樂快活勝神仙。

時間過得很快，轉眼到了臘月裡，快要準備過年了。這個當兒，隋朝另一名大將賀若弼悄悄自廣陵率兵渡江。他先派人買了不少好船，偷偷藏匿起來，然後再打發人員買了五六十艘破敗的爛船公開亮相。陳朝人看了都掩著嘴暗笑：『到底是北方來的人不懂水戰，原來隋朝人的船是這等模樣，怎麼能打仗嘛，太好笑了。』

賀若弼又交代下去，每次守衛換班的時候，必定大張旗鼓，所有人員都要集合。第一次換班的時候，只見大旗佈滿了天空，所有隋兵全副武裝，陳軍以爲要進攻了，急急忙忙發兵防備。等到忙了半天，才知道只不過是軍隊例行換班。久而久之，習以爲常，也不再加以防備。

賀若弼又命令軍隊沿江打獵。軍士們騎著快馬，呼嘯而過。陳軍又以爲隋兵準備進攻，結果發現隋兵捨命追趕的竟然是一隻野兔，失聲而笑。以後，那怕隋軍鬧得人馬喧嘩，也沒有任何陳兵加以理會。

賀若弼眼看時機已成熟，挑了過年的日子揮軍進攻。雖然陳朝人聽到有整軍、上馬一片鬧哄哄的聲音，卻懶得出外一查究竟，更何況正在過年，誰願意冒著風寒出外打仗。

就這樣，賀若弼輕輕鬆鬆，渡江成功，而陳朝人竟絲毫沒有察覺。

另一員猛將韓擒虎渡過江來，到了采石（安徽省當塗縣）。采石的守軍都喝得酩酊大醉，兵不血刃就佔領了采石，立即向建康進逼。

閱讀心得

【第205篇】

臙脂井。

在上一篇〈新年的突襲〉之中，我們說到，隋朝大軍利用新年，渡過長江，陳軍措手不及，只好紛紛投降。

陳後主陳叔寶接到軍報，隋軍已渡過長江，到了建康城外，嚇得痛哭起來，不知所措。此時大將軍任忠入宮，向陳叔寶稟報失敗的慘狀，長嘆一口氣道：『隋軍太厲害了，臣等實在無能為力。』

陳叔寶用顫抖的手拿出兩串金子對任忠說：『拿這個錢去招募軍士。』

任忠恭敬地接過金子道：『陛下只要準備舟船，等著赴上流會合軍隊，我會誓死保衛皇上的安全。』

陳叔寶聽了這話，心中稍安，漸漸止住了哭聲。命令宮人收拾行裝，準備上路。等到大家都一切打點妥當，等了又等，卻始終不見任忠派人來接陳叔寶。

原來這個時候，任忠已經率領大軍，在石子崗等待韓擒虎的到來，準備投降隋朝。任忠帶領著韓擒虎的軍隊直入朱雀門，有些陳軍拿起武器正要抵抗，任忠連連揮手阻止，他在馬上大聲呼叫道：『連老夫都投降了，你們還打什麼？還不趕快放下武器。』

任忠是陳朝的大將，於是，陳朝官兵一哄而散，城內的文武百官各自

逃命去了，只有尚書僕射袁憲留在宮殿之中。陳叔寶看到人去樓空，與當初歌舞昇平，一大羣狎客飲酒賦詩的情景相對照，心中好不淒涼。陳叔寶對袁憲說：『我從來沒有對你特別好過，今天想起來慚愧萬分。這非但是朕無德，文武百官一個不見，難道不也是江東仕紳道義已經掃地了。』

說著，說著，陳叔寶全身發抖，驚駭急迫想找一個藏匿之地。

袁憲正色地告訴陳叔寶：『北兵入此，必定無所侵犯。事情已經演變到這個地步了，哪裡還有什麼可以安身之地？臣願陛下端正衣冠，穿戴整齊，安安穩穩坐在大殿之上，效法當年梁武帝接見侯景的故事，也表現陳朝天子的威儀。』

按梁武帝被侯景亂軍攻入時，神色不變，處之泰然，倒使得侯景流汗滿面，不敢仰視梁武帝。

陳叔寶嚇得臉色慘白，死也不肯聽袁憲的勸告，他說：『鋒刃之下太過危險，我自有辦法。』說時遲，那時快，陳叔寶急急忙忙找了十幾個宮人奔出景陽殿，準備躲在一口枯井之中。

袁憲再三苦勸，陳叔寶不理。後閤舍人夏侯公用身體擋住井，不讓陳叔寶跳下去，但是，拉拉扯扯半天之後，他終於下井了。

不久，隋軍趕到宮殿，沒有看到陳叔寶，一找就找著了這口井。趴在井上對底下喊著：『我們找著你了，快出來吧，你一定是躲在裡面。』喊話喊了半天，沒有反應。隋軍火大了，揚言：『你再不出來，我們就要把石頭推下去了。』接著搬來一塊巨石放在井旁。

『不要丟石頭，我上來，我上來。』這時井內傳出陳叔寶喊救命的聲音。於是隋軍放下繩子，想把陳叔寶吊上來。

奇怪的是，吊了半天竟然吊不上來，隋軍不解道：『陳叔寶有多少重啊？』最後挑了兩個孔武有力的大力士來拉，才把陳叔寶吊上來，上來一看，哇！他左邊綑著張麗華，右邊綑著孔貴妃，三人合抱在一起，難怪如此之重。眞是要死也風流，把隋軍笑得直不起腰。

據說，當張麗華被拉上井時，臉上的臙脂染紅了井的欄杆，所以這口井，後人稱之爲臙脂井，位於南京北極閣下，供人憑弔。井旁的茶座，即爲景陽殿的舊址。

隋軍攻克建康之後，隋文帝的兒子楊廣（即後來之煬帝）派人告訴大將高熲，務必保存美女張麗華。

沒有料到高熲竟然不服從命令，高熲的理由是：『以前周武王蒙面斬妲己，今天豈可留下張麗華這個禍水？』於是在青溪將張麗華問斬。來人回報楊廣，張麗華的腦袋被高熲砍掉了。害得楊廣空歡喜一場，臉色大變道：『古人說，無德不報，我一定會好好的回報高熲的。』從此，楊廣對高熲恨之入骨。

陳叔寶被押到長安以後，陳朝滅亡。四百年來分裂的中國，至此爲隋文帝統一。

前面〈一袋乾薑〉中，我們說過，隋文帝滅掉北周之後，殺光宇文氏的子孫。但是，文帝滅陳朝之後卻沒有重下毒手，這是因爲此時隋朝的基業已經穩固，而且，陳朝子孫孱弱，缺乏骨氣。因此文帝非但沒有加害陳叔寶，反而宴會的時候，規定不奏江南音樂，免得陳叔寶聽著傷心。

不久，監視陳叔寶的人上奏，說他想要一個官位，文帝氣得大叫：『叔寶全無心肝。』監守者又說：『叔寶常醉，幾乎沒有清醒的時候。』

『他一天要喝多少？』文帝問道。

監守者道：『他和他的弟子一天要喝掉一石。』

『哇！這麼多，得節制一些。』文帝說，繼而又回頭改口：『不必了，讓他喝，他不喝酒又如何過活？』

如果陳後主不是昏庸至此，『隔江猶唱後庭花』，又怎麼會淪落到這種地步呢？

閱讀心得

【第206篇】

用錐子刺舌頭。

賀若弼是河南洛陽人，父親賀敦，以勇武英烈著名，曾經做過北周的金州總管。宇文護十分嫉恨賀敦，利用機會將他逮捕下獄，且處以死刑。

賀敦在臨刑之前，對他的兒子賀若弼說：『我一直有一個心願，想要平定江南，統一全中國。可惜這輩子沒法完成這個願望了，你要設法繼承父志。我被處死刑，主要是因爲我這片舌頭太愛說話，因而遭嫉，你可要牢記爲父的教訓。』

說著，賀敦拿出一根尖尖的錐子，刺破賀若弼的舌頭，再三告誡賀若弼『開口要謹慎』。

若弼從小有大志，擅長弓馬，也會寫文章，名重一時。曾經是北周的亭縣公，小內史。

隋文帝受禪，建立隋朝之後，頗想早日平定江南，到處尋訪可堪重任的大將。高熲對文帝說：『朝臣之內，文武才幹，沒有人比得上賀若弼。』

文帝很高興，立刻任命賀若弼爲吳州總管，負責平陳大事。平陳是他父親的遺志，因此若弼欣然受命，獻上平陳十策。文帝看後，頗爲讚許，賜給賀若弼一把寶刀，表示予以重託。

開皇九年，文帝大舉伐陳。賀若弼腰佩寶刀，威武的站在渡船上，舉

起一杯酒對天發誓道：『弼將遠振國威，伐罪救民，除兇去暴。請上天與長江爲我作證，大軍遠涉後，如果有不當之舉，願葬身魚腹之中，死且不恨。』

接著，賀若弼買了些破船欺瞞陳軍，又命令軍隊換班交代之時，必定大張旗鼓，使得陳軍一再上當，以爲隋朝大舉進攻。然後趁著陳軍疏於防備，又值新年狂歡之際，一舉渡過長江攻下陳朝。

當賀若弼攻入建康北掖門之時，另一名隋朝大將韓擒虎已經把陳叔寶綁起來了，賀若弼落後一步，大爲憤恨。於是，賀、韓兩人在隋文帝面前互相爭功。

賀若弼怒氣沖天：『臣在蔣山與敵人決一死戰，破他的勁卒，擒他的大將，震揚武威，遂平陳國。韓擒虎不與敵人交鋒，卻搶了臣之功勞，太可恨了。』

韓擒虎也有一套說詞：『我奉御旨與若弼一起攻打僞都。賀若弼看到敵人立刻交鋒，使得我方將士死傷甚多，遠不及臣另率五百輕騎，兵不血刃，輕輕鬆鬆執陳叔寶，開陳朝府庫。這時，賀若弼才慢吞吞自北方而來，他的功勞怎能與我相比？』

文帝看到此二人吹鬍子、瞪眼睛，在廟堂之上鬧得太不像話，急忙打圓場道：『兩位將軍都有功，都應該重賞。』

於是賀若弼被封爲宋國公，食邑三千戶，又賜以寶劍、寶帶、金甕、金盤一大堆金銀財寶。（食邑三千戶，就是指三千戶的稅收歸賀若弼，古代常有這種賞賜。）另外，文帝更把陳叔寶的妹妹送給他當妾，拜右武侯大將軍。他自認爲在朝中功高一等，以宰相自許。

賀若弼的風光沒有好久，聽説另一員猛將楊素升爲右僕射，而他仍然只是一個將軍，心中嚥不下這口氣，到處發牢騷。話中暗指文帝沒有腦袋，不會用人。文帝聽説賀若弼竟然埋怨皇帝，一怒之下，立刻將他免官。過了幾年，更把賀若弼逮入獄中，文帝詢問他：『我用高熲、楊素爲宰相，你卻到處對人説，這兩個人只會吃飯罷了，你是什麼用意？』

賀若弼的嘴巴仍然不饒人，他輕蔑地説：『熲是臣之故人，素乃臣之舅，我太知道他們的爲人了，所以我説這兩個人只能吃飯。』

文帝聽了，十分厭惡賀若弼的驕狂，雖然看在他功在國家，沒有加害，卻也不願加以重用。

有一天，突厥派使入朝，在宮廷內表演射箭，一射中的，眾人都拍手叫好。下面該輪到隋朝這邊的人發射了，文帝很擔心萬一沒射準，豈不丟了隋之顏面。立刻下令：『除了賀若弼沒有人能當此重任，快把他找來。』

賀若弼到了，對文帝深深一鞠躬道：『臣若是赤忱奉國，當一發中的，如果我不是對皇上忠心耿耿，發不中也。』

大家都屏息以待賀若弼拉弓。他動作敏捷，臂力強勁，輕輕鬆鬆一拉，一舉射中紅心，又快又準，比突厥使者更勝三分。眾人紛紛鼓掌，歡聲響徹天地。

文帝把面子掙回來了，十分得意。拍著賀若弼的肩膀，對著突厥使者炫耀：『此人，天賜我也。』

雖然他說是天賜隋朝，文帝始終未加以任用；甚且到煬帝時，因爲私下議論朝政得失，被處死刑，妻子爲官奴婢，步上了父親的後塵。

賀若弼功成名就，壞就壞在他的一片舌頭喜歡誇耀自己的功勞，更以挖苦批評他人爲樂。鋒芒畢露，難免招忌。如果他記得他父親臨終之前，用錐子刺他舌頭的用心，何至於落此下場？

閱讀心得

【第207篇】

隋文帝性好猜忌。

自從隋文帝建立隋朝以來，他實行了許多良好的措施。例如：實行中央集權，加強地方控制；廢止九品中正制，改用科舉考試來選拔人才；實行均田制度；減免徭役以及免除鹽酒稅收等等。從魏晉以來，歷代君主，多半懶惰。隋文帝統一南北之後，能有這些措施，實在不容易。但是他有一個毛病，喜歡猜疑妒忌。

根據唐太宗的分析，文帝對朝政非常仔細。但是因爲他是欺人孤兒寡婦而得到的天下，所以也時時懷疑臣下會暗算他或是欺騙他，成日疑神疑鬼。

文帝時常派人暗中窺伺臣子，看看他們有沒有私下搞鬼。甚且自己在殿庭之上捶人，一天捶人四次以上。

尚書左僕射高熲等，不只一次上諫，認爲朝堂非殺人之所，殿庭也非行決處罰之地，隋文帝絲毫不加以理會。

在逼不得已的情形下，高熲等人到朝堂請罪，重提此事。文帝問左右都督田元：『我打人的杖太重嗎？』

田元低著頭回答：『重。』

『噢，』文帝頗爲不悅，眉毛一挑，厲聲問道：『什麼原因？』

田元舉著手說：『陛下杖大如指，捶人三十大板，比得上平常一百多板。所以，許多人一挨打，回去就沒命了。』

文帝聽了相當不開心，但是還算從善如流。從此庭中不設杖，如果要處罰人，各自交付到應該管理的機關去。

過了沒多久，楚州李君才上諫說：『陛下過分寵愛高熲。』

一聽此言，文帝怒由心生，就想拿杖捶打李君才，可是殿中已無杖。於是，文帝拿起馬鞭對準李君才抽來，直把他活活打死。

文帝喜怒無常，往往不按照法律行事。他最信任的大臣是楊素，而楊素剛好又是一個小人，擅長上下其手，不顧王法。

楊素和鴻臚少卿陳延有嫌隙，一直想找個機會整一整他。有一天，楊素走過蕃客館（外來蕃客到長安時居住的旅館）見到庭中有一堆馬屎，而僕人們正趴在毛氈上大賭特賭，呼么喝六，樂得都忘形了。蕃客館正好是陳延所管的，楊素乘機報告文帝，文帝下令把所有賭博的僕人一律處死，陳延也被打得半死，奄奄一息。

凡是矇騙文帝的臣子，很少逃得過這一關的。一次，文帝派遣屈突通到隴西地方去察看牧馬。屈突通回來報告，說是他們偷偷隱匿了兩萬匹駿馬。這個還了得嗎？文帝氣得立刻要斬掌畜牧之政的太僕卿，以及監牧馬之官，一共要殺掉一千五百人。

屈突通上諫曰：『人命關天，陛下爲何要因爲幾匹畜生的緣故，殺死一千多人。臣願意冒死請求陛下重新考慮。』

文帝不說話，瞪著一雙可怕的眼睛在冒火兒。

屈突通又在地上重重的叩了個響頭道：『臣本該死，乞求陛下赦免一千多條人命。』

大概是屈突通的誠意感動了天聽，文帝終於感動覺悟了：『朕之不明理，以至於此，今有賴於卿之忠言耳。』於是把一千五百罪犯減刑，更將屈突通拔擢爲左武侯將軍。

當然，此事並不足以減少文帝猜忌之心。他爲了防止臣下貪污，想出一個好主意，他派人拿著大把錢帛去試探臣下，看看他們會不會收下紅包。如果那個人竟然收下了，立刻斬首，絕不寬貸，這簡直是誘人犯罪。

以文帝這種性情，他對與他一起打天下，有過汗馬功勞的臣子當然特別不放心，所以朝廷裡人人自危。

其中有個功臣叫王世積者，腰帶有十圍之寬，容貌魁梧，作戰極有功勞，被任命為上大將軍。他知道文帝氣量狹小，專好猜忌，眼看朝中功臣一個個不得好死。為求自保開始縱酒，絕口不談時事，想要置身事外。

沒有想到，文帝聽說王世積生了酒疾，竟然命令他搬到宮裡來住，讓御醫為他治療。王世積其實酒疾不深，萬一被御醫看了出來，被文帝發現這個小子乃有心欺上，小命也就難保了。所以趕快奏稱，業已不藥而癒。

於是，王世積被任命為涼州總督。結果，不出其所料，又因為文帝的猜忌之心被殺。

因為文帝的猜疑心特別重，他底下的官吏不敢作任何決定，惟恐不合皇上的心意而被治罪。文帝也的確不放心手下人辦事，事無大小，樣樣自己來。所以文帝每天忙到三更半夜，依舊忙不完。但是他雖然能幹，畢竟不是全能，日理萬機，難免有不少錯誤。

因此，房彥謙悄悄對人說：『主上性多忌剋，不肯接納諫諍，實行苛政，不識大體。目前天下雖安，我很憂慮危亂不遠了。』

房彥謙是唐代名相房玄齡的父親，他說此話不是沒有道理的。

閱讀心得

【第208篇】獨孤皇后善妒。

隋文帝的夫人獨孤皇后是歷史上有名的悍妻，文帝的懼內及獨孤后的妒心是流傳極廣的故事！

獨孤后是河南洛陽人，北周大司馬、河南公獨孤信之女。獨孤信見到隋文帝楊堅相貌不凡，生有奇表，因此把愛女獨孤氏嫁給文帝。那一年，她才只有十四歲。

結婚以後，夫妻之間感情很好。古代的男人多有三妻四妾，尤其是官高位隆者。但是楊堅答應他的妻子，永遠不與其他女子生下兒子。

獨孤后的姊姊嫁給周明帝，她自己的長女又為周宣帝的皇后，一門顯赫，無人比得上。但是獨孤后謙卑柔順，人人誇獎。

後來，楊堅正式想篡位北周，獨孤后派人悄悄告訴他：『大事已然，如騎虎難下，勉之，勉之。』楊堅受到鼓勵，更加拿定主意，滅掉北周，建立隋朝，立夫人為皇后。

那時，隋朝聲威遠播，突厥想和中國做生意，派人送來一篋明珠獻給獨孤后，每一顆都晶瑩光潤，閃閃耀目，共值八百萬。但是獨孤后卻沒有收下，她說：『這些東西並不是我所需要的。當今戎狄作亂，侵犯邊界，將士們十分辛苦，不如把此八百明珠賞給有功之人。』文武百官聽說之後，

都對獨孤后欽佩感激不已。

文帝每次上朝，獨孤后總是同乘車輦而來。他們兩人對政事的看法總是一致，情投意合，宮中稱之爲『二聖』。

獨孤后雖然受寵，卻並不想把娘家的勢力引入宮中。一次她的遠房兄弟犯了罪，依法應斬首，文帝原想因爲皇后的關係，赦免他的罪，但是獨孤后竟說：『國家之事，豈可顧念私情。』這些都是獨孤后的賢慧之處。但是她的嫉妒之心，卻讓文帝很難忍受。

由於宮中內外，人人知道獨孤后的醋味重，沒有誰敢爲文帝獻上美色。可是有一回，文帝在仁壽宮偶然發現一位年輕女子，又美又嬌，可愛極了；打聽之下，原來是大臣尉遲迴的孫女，立即納入宮中。

獨孤后一看，怎麼來了如此一位美人兒，妒火上升，酸氣沖天，一刻也不能忍耐。尤其看到文帝對著小美人笑咪咪的神情，更叫獨孤后嚥不下這口氣，竟然趁著文帝去上朝的時候，偷偷派人把新寵殺了。

等到文帝退朝，回到宮中，訝然發現心愛的人香消玉殞，氣得說不出話來。人都死了，吵也沒用。文帝像風一般衝出户外，騎著快馬向山谷中奔去，一任快馬在荆棘樹林中奔馳。

大臣高熲、楊素在後面猛追，一直追了快二十里才把文帝追上。拉著文帝的馬，苦苦勸諫。文帝頹然的嘆了一口氣：『吾貴爲天子，不得自由。』

高熲正色的提醒文帝：『陛下豈能因爲一個婦人的緣故而捨棄天下。』

文帝這才勒住馬韁，坐在馬上默默沉思。一直到三更半夜，才在高熲等的苦諫之下回宮。這時，獨孤后跪在地上，一再流涕懺悔，文帝也就原諒了她。

當然，獨孤后心裡絕不會後悔殺了人。自此之後，在獨孤后生前，文帝一直不敢親近美色。

獨孤后不但恨透了妾小，甚且連臣子、兒子的姬妾她也一起恨上。

大臣高熲年老喪妻。獨孤后知道了，對文帝說：『高僕射垂垂老矣，而喪夫人，晚境乏人照料，陛下何不爲他再娶一夫人？』

文帝把這層意思轉告高熲，準備爲高熲物色適合的人選。

不料，高熲婉拒了文帝的好意。他流著眼淚說：『臣今已老，退朝之後，只想一個人在齋居中唸唸佛經，圖個清靜。謝謝陛下的垂愛，另納一妾，非臣所願。』

文帝把這番話轉給獨孤后聽，獨孤后大爲讚賞，直誇高熲品德高潔，不是好色之徒。

過了沒有多久，高熲的愛妾生下一個男孩。老年得子，高熲萬分高興，文帝也爲他慶喜，連忙把好消息告訴獨孤后。

哪知，獨孤后一聽，臉色馬上陰沉下來，一連幾天都拉長著一張臉，對高熲頗爲不諒解。文帝覺得好奇怪，人家得了一個兒子又何必因此生氣。

獨孤后翻了一個白眼道：『噢，陛下還準備繼續信任高熲啊？這個老傢伙，明明心疼愛妾，所以不想再娶。所以當初才欺騙皇上，說什麼唸佛經，現在詭計已經揭穿了，你還相信他？』

從此，文帝逐漸疏遠高熲。總之，獨孤后恨透了妾，凡臣下納妾生子，她都會河東獅吼大發脾氣。妒心本亦爲常情，但是管到別人家裡去，未免過分。由於獨孤后的奇妒，改寫了隋朝的歷史。

閱讀心得

【第209篇】

楊勇愛好奢侈。

隋文帝的皇后獨孤皇后生性奇妒。因爲這個原因，文帝有五個兒子：楊勇、楊廣、楊俊、楊秀、楊諒都是獨孤后一人所生。我們要先講大兒子楊勇的故事。

楊勇是文帝的長子。在文帝還沒有篡周以前，他被封爲博平侯。等到文帝當上皇帝，楊勇被立爲皇太子。軍國政事及被判死刑的大罪，都由楊勇參決，很得文帝的信任。

隋文帝認爲山東流民太多，有意把他們遷移到北方充實邊疆，防禦外患。楊勇知道了，上諫文帝：『戀土懷舊爲人之本性。以前周朝時代，人民多有流亡，不是厭棄家鄉，實在是迫不得已。加上去年三方逆亂，瘡痍尚未平復，應讓人民有休養生息的機會。』

隋文帝覽後，十分嘉獎楊勇的仁厚，就照楊勇的意思辦理。以後政治上有任何不便民之處，楊勇都會提出意見，而文帝每每接納他的意見。爲此，文帝相當自得，他曾經對臣下誇耀道：『前代君主，因爲寵愛妃嬪，連帶著常有廢掉太子之事。朕別無其他姬侍，五個兒子都是一個母親所生，可以說得上是同父同母的眞正兄弟。哪裡像前代的君主有許多寵姬，各爲自己所生的兒子爭來奪去，此爲亡國之道也。』

言下不勝得意之至。但是五個親兄弟是不是就此相安無事呢？倒也不見得。

楊勇頗爲好學，詞賦都作得不錯，性情寬仁和厚，自然而任情，不喜矯揉造作，結果毛病就出在這裡。

在〈一袋乾薑〉之中，我們說過，文帝是一個相當小氣吝嗇的君主，連炒菜用的薑片都捨不得用。有一次他看到楊勇穿著一件鎧甲，上面畫了不少精細的花紋，漂亮又威武，文帝立刻皺緊了眉頭。

原來蜀國人精於製造鎧甲，蜀鎧之精美天下聞名。而楊勇竟然在蜀鎧上還再加以修飾，如此的考究，使得儉樸的文帝非常看不順眼。把楊勇喚來教訓一頓：『自古以來，沒有任何一個帝王性好奢侈而能國祚長久者。

你身爲儲君，應當以儉約爲重，才能夠奉承宗廟，知道嗎？』

接著，文帝拿出一件破舊不堪的衣服，一把已經生銹的寶刀交給楊勇：『這都是我以前用過的，你時時拿出來看一看，以自警戒。』

然後，文帝又拿出一小罐醃菜與豉醬，嚴肅地說：『這可是你以前在周朝當兵時，經常下飯的小菜。不要因爲當了皇太子，把過去的日子忘得一乾二淨。』

過了不久，正逢冬至，百官紛紛到東宮去朝見楊勇道賀。文帝知道了問朝臣說：『聽說最近過冬至，內外百官，相率朝東宮，是何禮也？』

太常少卿辛亶對曰：『到東宮是賀節，不能稱之爲朝。』

文帝火冒三丈道：『過節道賀，二三十個人去即可，爲什要用徵召的方式，百官雲集，東宮簡直毫無禮制。』於是頒下詔令：『君是君，臣是臣，不可相雜。皇太子雖爲儲君，仍然只是個臣子，百官朝賀東宮等事，應該停斷。』文帝認爲自己還沒有死，太子竟然如此囂張，大爲不該。

從此，文帝漸漸不喜歡楊勇，臣子們也看出父子之間有點不對頭。剛好，文帝正要挑選衛士侍候左右，把東宮一些強健有力的衛士都挑走了。大臣高熲上諫，認爲太子所居之處宿衛太弱，恐怕不太好。

文帝的疑心病又犯了，他說：『我常常需要外出行動，宿衛必須要雄強勇毅者，太子住在東宮，左右何必有好武功？』

糟糕的是，楊勇這位太子非但漸漸得不到父親的寵愛，更爲母親獨孤氏所嫌惡。

在上一篇〈獨孤皇后善妒〉之中我們說過，這位皇后醋勁奇大，非但不准自己的丈夫寵妾，連臣子寵妾也要加以干涉。

偏偏楊勇生性風流，内寵甚多。獨孤氏爲他娶的正妃元氏，性情呆板，楊勇對她毫無感情。特別疼愛另一個叫雲昭訓的小妾，使得獨孤皇后大爲不悅。

過了沒多久，元妃竟然生了心臟病暴斃，獨孤皇后更加不開心；她甚且懷疑其中有陰謀，對楊勇頗不諒解。

從此以後，東宮由雲昭訓掌權，生下長寧王儼、平原王裕、安成王筠。另有高良娣生下安平王嶷、襄城王悟。王良媛也生下高陽王該、建安王韶。成姬生下潁川王煚。

獨孤皇后最恨姬妾生兒子，大臣高熲妾生子，她尚且勸文帝不可再信任高熲，自己的親生兒子竟然毫不體諒母心，一口氣讓內寵生下這麼多的兒子，實在把獨孤皇后氣得吐血。

加上雲昭訓的父親爲要拉緊關係，經常出入東宮漫無節制，而且每次都攜帶奇服異器，以求悅媚楊勇。這類消息傳入宮中，文帝氣楊勇不知節儉，獨孤皇后怨楊勇專寵內妾，因此父親母親都不滿太子的作爲，楊勇這個太子可就難當了。

閱讀心得

【第210篇】

楊廣弄斷琴弦。

隋文帝的太子楊勇，因爲性好奢侈，寵愛姬妾，惹得文帝夫婦極爲不悅。

這個消息傳出之後，文帝的第二個兒子晉王楊廣大喜，認爲機會來了。楊廣生得異常英俊，從小聰明伶俐，文帝及獨孤皇后在五個兒子之中，一向特別偏愛他。我們在前面〈臙脂井〉那篇故事中說過，當隋軍攻克建安以後，楊廣派人指示務必留下長髮美女張麗華。結果，性情耿直的大臣高熲以張麗華是禍水爲理由，還是把她殺掉了。爲此，楊廣十分生氣，直嚷有仇不報非君子。

從這件事看來，楊廣實在是一個好色之徒。但是楊廣知道其母獨孤皇后最忌諱此，所以裝著對女色沒有興趣，日夜只與蕭妃一人在一塊兒。說起蕭妃，這是文帝親自幫他挑的王妃。蕭妃性情婉順，有智識，而且還會占卜吉凶禍福，所以文帝對這個媳婦滿意極了。

獨孤皇后看到楊廣不近姬妾，正合她的心意，到處向人誇耀楊廣的賢良。楊廣工於心計，朝廷中的大臣，他無不傾心結交，爭取旁人的好感。

不但如此，楊廣知道底下奴才雖然沒有地位，卻最喜歡傳遞消息，搬弄口舌，所以楊廣對僕人也十分客氣。

每一次文帝或皇后派人到楊廣處，不論來人是貴是賤，是宦官還是宮女，楊廣總帶著蕭妃站在門口迎接。

下人們受到如此隆重的歡迎，受寵若驚，手足失措。然後，楊廣又特別準備了美酒佳肴款待，臨走之前更送一份厚禮。宮人們拿了好處無以回報，只有到處廣播宣傳，讚揚楊廣夫婦，當然一部份也是炫耀自己受到禮遇。這些讚揚的話，自然而然也傳到了文帝的耳中了。

有一次，文帝攜獨孤后到楊廣住處造訪。楊廣趕緊預先佈置，把長相嬌美的姬妾藏匿起來，免得母親大人看著美女不高興；命令宮人換上沒有花紋的衣服，甚且連屏帳也改用縑素的布面。楊廣還故意把琴弦拉斷，再撒上一些塵埃，表示多時未用。

等到文帝夫婦進來之後，獨孤皇后看到姬妾無不又老又醜，面孔漆黑，馬上笑容滿面，因爲她最見不得美妾。文帝則發現房中佈置樸素到近乎簡陋，也露出了滿意的笑容。回去以後，他倆見到臣子當然又是誇讚楊廣不已，底下的人也紛紛拍馬屁，說是皇帝的福氣。

文帝這個人特別相信算命的，他悄悄的找了一位相士來觀察五個兒子的面相，然後問道：『怎麼樣？』

這位相士別的都不說，只道：『晉王廣眉上雙骨隆起，貴不可言，貴不可言。』

聽了相士的鐵口直斷，文帝又問上儀同三司韋鼎道：『我五個兒子之中誰得嗣位？』

『至尊與皇后所最愛的是哪一個，當然就是他該嗣位，非臣所敢預知也。』韋鼎謹慎地回答。

文帝笑罵道：『你是故意不肯明白的說出來。』

如今，上上下下都知道文帝夫婦鍾愛楊廣；加上楊廣做人周到，長相英俊，學問又好，敬接朝士，卑躬萬分，人人誇讚他仁孝。

此時，楊廣被任命爲揚州總管，當他要出任揚州之前，到宮中去拜別獨孤后。伏在地上哭得兩眼腫得像桃子，獨孤皇后更是哭得窸窸窣窣。楊廣哭聲暫歇，對獨孤皇后訴說著：『臣才愚昧卑下，謹守著兄弟之間的情誼。但不知什麼地方，得罪了東宮太子，他對我常抱著盛怒，所以臣十分憂慮，擔心哪一天會被殺害。』

說著，說著，楊廣又嗚咽地哭了，哭得全身發抖。

獨孤皇后看著楊廣又乖又可愛，而且不近聲色，眞是個好兒子。可惜不是太子，心中又早已懊惱萬分，現在聽說太子竟然要加害她的心肝寶貝，這還了得嗎？

『哼，太子未免越來越叫人不堪忍耐了。想以前我爲他娶了元氏女，他竟然不以夫婦之禮相待，專寵阿雲，對待元妃比對一條狗一隻豬還不如。結果元妃被他們害死，我呢，也沒辦法深究此事。怎麼他又想到要害你了！』說到一半，獨孤皇后的醋味又湧上來了：『我每次想到東宮沒有正嫡，等到皇帝千秋萬世之後，你們兄弟竟要向阿雲那妾下拜問安。我的天啊，那是世界上最痛苦的事啊……』

楊廣知道母后推己及人，恨透天下姬妾，立刻加油添醋挑撥一番，母子兩人哭得昏天黑地。

至此，獨孤皇后打定主意，想要廢楊勇立楊廣爲太子。

閱讀心得

【第211篇】楊素暗助楊廣。

在上一節〈楊廣弄斷琴弦〉之中，我們說到楊廣善於做作，工於心計，使得隋文帝以及獨孤皇后誤以爲他不近聲色。

但是，太子是國之儲君，廢太子乃國之大事也。楊廣若想擠掉太子楊勇的位置，還不是一件容易的事。

楊廣苦思許久，想不出什麼好辦法，於是楊廣找來安州總管宇文述共謀對策。

宇文述沈思了一會兒道：『皇太子失去鍾愛已經有一段相當的日子，他有什麼美德，天下都不知道。而大王您以仁孝著稱，才能蓋世，南平陳朝，北伐突厥，屢次建立大功，皇上及皇后都疼愛大王，四海之望，亦歸大王。』這番話説得楊廣眉飛色舞。

『不過，廢舊立新，國家大事，不容易更改。今天能夠改變皇上意志的，那只有楊素一人；而楊素不喜與他人交往，凡事只與其弟楊約商量。我和楊約的交情很深，也許能説動楊約。』宇文述小聲地説。

楊廣一聽，大爲高興，馬上搬出一箱金銀珠寶，拜託宇文述：『一切都仰仗述兄了。』

楊約當時擔任大理少卿的職務，他的哥哥楊素每次要有所行動，都先

與楊約商量以後才決定。

宇文述常常請楊約到家裡來玩、吃飯、喝酒。酒酣耳熱之後，總以賭博消遣。

楊約的賭技不精，卻連戰皆勝。其實是宇文述假裝不敵，故意放水，然後大呼：『哎呀，又輸了。』一次又一次，把楊廣給他的一箱珠寶，全部都輸給了楊約。

楊約得到了這許多稀世寶貝，樂得什麼似的，再三向宇文述道謝。

『不必謝我，這都是晉王楊廣所賜，他希望你玩得痛快。』至此，宇文述才亮出底牌。

『噢，晉王所賜，無功不受祿，他爲什麼要如此？』楊約大吃一驚。

宇文述把楊廣希望楊素幫忙的意思透露給楊約，然後勸道：『守行正道，固然是爲人臣者的道理。然自古賢人君子，無不利用時機，以避禍患。你之兄弟執掌朝中政事已經好多年了，朝廷裡上上下下因你們而受到屈辱的，數都數不清。連太子的要求都經常爲令兄所打回，令兄雖然爲今上皇帝所信任，可是痛恨令兄的不在少數。萬一那一天皇帝有所不幸，棄羣臣而去，那個時候，又有誰能庇護令兄？現在的皇太子失愛於皇后，皇上也屢次有廢太子之意，如果令兄請立晉王楊廣爲太子，建立了大功，晉王一定永銘骨髓，你家的家業當可穩如泰山。』

楊約聽後，考慮了半天，想到他的同父異母之兄楊素，在朝中確實結了不少仇，和太子勇也合不來，如果文帝一旦崩殂，確實有擔心的必要。

當下即答應了宇文述的要求，立刻去見楊素。

由於楊約性情沉靜，不喜多言，卻又心懷譎詐，楊素一向言聽計從。

當楊素聽完楊約所言，撫掌大笑道：『我的智慧思慮還沒有想到廢立之事，要不是你點了我一下，我還在做夢哩。』

『如今皇后所說的話，皇帝無不聽從，兄應利用機會，早日把此事辦妥，則長保榮祿，傳之子孫。兄若稍加遲疑，一旦有變，太子勇即位，恐怕就要大禍臨頭了。』楊約又跟著叮嚀一番。

過了幾天，楊素赴宮中宴會，故意用話套獨孤皇后：『晉王孝悌恭儉，恰似皇上。』

獨孤皇后一聽，立刻滾下淚珠，滔滔不絕道：『你說得一點也不錯，我那個廣兒眞是太孝順了。每次我派婢女去，他都陪著婢女吃飯聊天，那裡像太子，成天只曉得與阿雲對坐酣飲。』說到此，獨孤皇后眼中一道怒火。她氣量奇狹，非但痛恨文帝的姬妾，天下姬妾都在痛恨之列。每次念及楊勇不理正妃，專寵姬妾，簡直是心痛如絞。

『我還擔心太子想殺廣兒呢。』獨孤皇后想起了楊廣告的狀。獨孤皇后的心意既然表明了，楊素就加油添醋說了一大堆太子勇的壞話。獨孤皇后掏出一些金子，交給楊素，命他想辦法廢去太子勇。

太子勇也聽說此事，憂慮萬狀，又不知該如何是好。他知道父親文帝不高興他的奢侈，於是脫下了華服，在後邊園子蓋了一座庶人村，房中佈置極爲簡陋。楊勇時常在其中休息，希望用布衣、草褥來改變文帝對他的印象。

文帝也知道楊勇心中不安，特別派遣楊素到東宮去觀察太子的言行，看看他是否改好了。

楊勇知道楊素是楊廣那一邊的，為了給父親留一個好印象，楊勇穿戴整齊，在宮門口等待楊素。

誰知道楊素存心找麻煩，明明知道太子在等，故意遲到半天，想要激怒太子勇。

太子等了又等，實在火大了，心想堂堂太子之尊，楊素未免太過分了。因此當楊素終於進來時，太子的臉色不太好看。楊素就逮住這點回報文帝：

『太子心中充滿了怨恨，恐怕會有變亂，需要防範生變。』

文帝知道楊素與太子不合，懷疑這是楊素毀謗，不怎麼相信楊素的話。

太子楊勇會不會被廢呢？

閱讀心得

【第212篇】

楊勇上樹呼救。

自從楊素用計，詆毀太子楊勇以後，楊勇的地位更加地不穩。

懂得觀察情勢的人知道楊勇有被廢的可能，紛紛乘機進言。太史令袁充便對文帝上言：『臣觀察最近的天象，皇太子當廢。』

文帝鼻孔裡哼了一口氣道：『天象早已顯現，只是羣臣不敢言罷了。』

狡詐的楊廣又派人買通了太子楊勇寵臣姬威，命令他窺伺太子的動靜，然後密告楊素，並且對姬威利誘與威脅兼施道：『東宮太子的過失，皇上老早一清二楚，已經決定廢掉太子了。你如果能多幫忙，必定能夠大富大貴。否則，後果嚴重。』

姬威在軟硬相逼的情況下，也顧不得什麼忠誠，只要有任何芝麻綠豆般的小事，立刻飛報楊素。楊素又亂造謠言，四處傳播，楊勇的名譽一天比一天更壞。

到了秋天，文帝由外地返回京城，對左右侍臣說：『我新還京師，應當開懷歡樂，不知道什麼緣故，益發悲傷愁苦。』

臣子牛弘磕了一個響頭道：『臣等不稱職，使陛下愁勞，罪該萬死。』

文帝狠狠瞪了牛弘一眼不再吭聲。文帝的意思是，希望臣子說出因爲東宮太子不肖，使得他不悅；沒想到牛弘不會察言觀色，說的話風馬牛不

相及也。

於是，文帝長嘆一口氣：『東宮離此不遠，我每回返京師，他爲何器仗宿衛戒備森嚴，好像如臨大敵。昨天晚上我鬧肚子，準備隨時上廁所，住在後頭的房間，卻又害怕有緊急情況，又搬回前殿居住。你們看，這是不是東宮欲加害我的前兆？』

文帝的疑心病又犯了，把太子左右執事的人叫來審問。

然後，文帝把楊素找來，問他道：『我派你去觀察東宮，結果如何？』

楊素老早編造了一段陷害的話，他一清喉嚨道：『臣奉命要皇太子檢校劉居士的餘黨，劉居士以前曾造反被殺了，可是餘黨仍存。太子奉詔，竟然臉色大變，奮眉厲目，全身骨頭都氣得發抖對臣道：「劉居士的餘黨早已伏法，要我到那兒去窮討。你身爲右僕射，職位不輕，自己不會辦事？這件事與我何干？」太子又抱怨道：「以前父親受周朝禪讓之時，萬一事情不成，我這個做長子的一定第一個被殺。現在父親當上天子，竟使我凡事不如諸弟。』」

楊素挑撥一番之後，果然，文帝氣得臉紅脖子粗，怒聲罵道：『這個小子不堪承嗣皇位也不只一天了，皇后早就勸我把他廢掉。我呢，因爲他於我在布衣時所出生的，年齡又居長，總希望他能夠改過，一直捨不得，隱忍到現在。以前他的元妃暴斃，我就懷疑其中大有問題，而他的兒子生下來以後，我和皇后疼孫子，抱回來幾天，他竟派人來取，多氣人啊。而且現在所寵的雲昭訓出身不好，也很糟糕。像以前晉太子娶了一個屠夫的女兒，生下的兒子就愛屠宰之事。唉！』如果繼承非其人，便會使國家大亂。

文帝愈想愈覺得太子可恨到了極點，當下決定：『我雖然不如古代堯舜明君，卻還不至於把天下交此不肖子，今欲廢之，以安天下。』

左衛大將軍元旻等紛紛上諫：『廢立大事不可輕行，否則後悔莫及。』

文帝說：『噢，那麼請聽太子身邊的臣子姬威所說的吧。』

姬威既已被楊廣收買，立刻講了許多太子楊勇的壞話，並且說：『皇太子常對我說，想從樊川到散關，方圓數百里，規劃爲御苑，盡情享樂。皇太子又說：「從前漢武帝時建造上林苑，東方朔諫諍，武帝賜東方朔黃金百斤，多麼可笑，我才不會賜給這些傢伙金錢，如果有諫諍的人，正好可以把他斬了，殺他個百多人，自然再也不會有人諫諍了。」太子東宮之內常有一些過分的要求，尚書多依據規定不給東宮，太子就怒罵道：「僕射以下，我會殺一兩個人，讓大家知道不聽我的話的後果。」

姬威又接著說，太子還找了巫婆、姥姥占卜問卦，說皇上應當死在十八年，沒多少日子可活了。

文帝一聽，淚珠滾滾而下道：『你們看看，誰非父母所生？竟有此忤逆子。我最近在看齊朝的歷史，看到高歡縱容兒子的那一段，不勝悲憤，我可不能學他。』

在此以前，楊勇有一日散步，發現一株老槐樹，盤根錯節，十分巨大，太子問道：『這做何用？』

『古槐可以用來取火。』旁人答道。

當時的衛士都身佩火燧（即點火用的材料），既然古槐易於著火，楊勇命令左右造數千枚火燧，放置在太子東宮庫房中。楊素奉命去查楊勇有心造反的證據，便把火燧算在內。楊素又發現太子楊勇養了一千多匹馬，以此責問太子。楊勇頗不服氣道：『我曾聽説楊公你家裡養了數萬匹馬，我忝爲太子，不過一千匹馬，比你少多了，這也算造反嗎？』

當然，楊素還是把此話轉給文帝，表示楊勇心懷不軌。更把東宮之中的服飾玩物全部陳列在庭上，拿給文武羣臣觀看，並以此刺激文帝及獨孤皇后，因爲這對夫婦最爲儉省小氣。

文帝盛怒之下，命令召太子勇來，自己則全身戎裝，左右站滿執刀衛士，到了武德殿，令文武百官立於殿東面，皇室親戚立於殿西面，太子勇和其他兒子立於殿中，文帝命薛道衡當眾宣讀聖旨，宣佈將太子勇廢為庶人。

楊勇被廢，楊廣如願以償被立為皇太子。文帝囚楊勇於東宮，命楊廣看管。楊勇無罪被廢，滿心委屈，屢次想到父親面前申訴，都被楊廣阻攔。有一天，楊勇爬到東宮的樹頂上大聲呼叫，聲音傳到內宮，悽慘無比。文帝驚訝地問：『怎麼一回事？』

楊廣回答：『楊勇發了神經病，大概是惡魔附身，不可救藥。』文帝從此不加理會，可憐的楊勇仍然抱著大樹哀哀痛哭。

閱讀心得

【第213篇】

楊俊楊秀，難兄難弟。

隋文帝楊堅一共有五個兒子——楊勇、楊廣、楊俊、楊秀和楊諒，五個兒子都是獨孤皇后一人所生。因爲她醋勁極大，把文帝管得很緊，所以文帝不敢親近宮中美色。

文帝當初認爲，五個兒子均爲一母所生，應該相親相愛。不料狡詐的楊廣利用計謀，使文帝廢掉太子楊勇，改立他爲太子。文帝還沾沾自喜，慶幸皇位得人哩。這回我們要講老三楊俊與老四楊秀的故事。

楊俊被封爲秦王，自小心腸極軟，充滿慈悲心懷，崇信佛教，捨不得殺生。當他十三歲的時候，曾經有過一個念頭，想要出家當和尚。

文帝認爲這是小孩子胡鬧，沒有答應他的請求。或許是宮廷裡優渥的環境容易使人腐化，等到楊俊漸漸長大，染上了奢侈的壞習慣，也不再考慮人民的疾苦了。

楊俊的宮室富麗堂皇，但他還是不滿足。加上楊俊頗有藝術眼光，又有巧思，他每每自己掄起斤斧，東敲一下，西琢一番，便造成一件極爲精巧之器具。他爲心愛的妃子造了一座水上宮殿，四周牆壁塗滿了香粉，玉砌金階，奢侈豪華；每兩座樑柱之間，鋪上明鏡，鑲滿珠寶，眞是美麗極了。宮成之後，楊俊時常率領著賓客女伎在水殿上通宵玩樂。

楊俊的妻子崔妃的個性極妒，與獨孤皇后不相上下，眼看楊俊如此寵愛內妾，心中憤憤不平。於是，當楊俊難得回宮時，崔妃進上一盆瓜果，瓜中染有劇毒。可是大概楊俊吃得不夠多，竟然沒有毒死，只是病倒了。

文帝聽説楊俊奢縱，十分不滿，把楊俊的官位（當時楊俊擔任并州總管）給免了。左武衛將軍劉昇上諫：『秦王並沒有什麼其他過錯，只是浪費官物營建宮室而已，臣以爲此可寬容。』

『法不可違背。』文帝冷冷的回答。

大臣楊素也爲楊俊説情：『秦王的過錯，不應該遭到如此的處罰，願陛下詳查。』

『我是五個兒子的父親，用不著你們嚕嗦，否則何不另外制訂一個天子兒律？以古代周公的爲人，尚且殺掉作亂的管叔、蔡叔兩兄弟，我雖然不及周公，也不能違法。』文帝還是堅持要處罰楊俊。

楊俊被崔妃下了毒，身體日益虧損，文帝很生氣地罵道：『我努力創此大業，希望臣下爲我守之；你是我的兒子，竟然要敗我家業，我簡直不知該如何責備你才是。』

被父親一吼，楊俊的病更重了，沒多久就魂歸西天。文帝餘怒未消，把楊俊所有一切的侈麗物品統統燒得精光。楊俊王府裡的僚佐呈請爲楊俊立碑。文帝當場頂了回去：『想要求名，只一卷史書足矣，何必用碑。子孫若不能保家，此碑徒然給人用來當鎮石。』

老四楊秀被封爲蜀王，個性又和楊俊不相同，他膽識極大，容貌威武，長著一把漂亮的美髯鬚，武藝十分高強，朝廷裡的臣子看到楊秀都心懷畏懼。文帝時常對獨孤皇后道：『楊秀這個孩子，必然不得善終，我在位時當無慮，等到他兄弟在位時，一定會造反。』

等到太子楊勇因讒言被毀廢，楊廣被命爲皇太子，楊秀十分清楚這是怎麼一回事，很爲太子楊勇打抱不平。

楊廣惟恐老四楊秀壞事，偷偷做了一個木偶人，上面寫著：『請西嶽慈父聖母神兵，收楊堅、楊諒神魂』（楊諒是文帝第五個兒子），並且把木偶埋在華山。

然後，楊廣派人到華山把木偶挖了出來，呈獻給文帝，說是楊秀幹的。文帝看了勃然大怒，親生兒子竟然咒他早死，而且這個木偶縛其手，釘其心，一副可怕的形狀，文帝看著寒毛直立。我們中國人一向最忌諱這種暗中詛咒的事，而做皇帝的人，享盡榮華富貴，最爲貪生怕死。因此，楊廣這一招的確是心狠手辣，卑鄙已極。

緊接著，楊廣又誣告楊秀造反，甚且假造了一張楊秀造反的檄文，上面寫著：『逆臣賊子，專弄威柄，陛下唯守虛器，一無所知。』這句話的意思是朝廷裡亂臣賊子當權，而做皇帝的，像個笨蛋似的，只曉得呆呆守著皇位，絲毫不知情。

文帝看了，更是怒火沖天，他氣呼呼地說：『以前，楊俊浪費國家財物，我以爲父之道教訓他，現在楊秀蠹害生民，應該用君道加以制裁。』

開府慶整勸諫道：『庶人楊勇已廢，楊俊已死，陛下剩下的兒子已經不多，何必到此地步？何況蜀王性情耿介，今被重罰，恐怕不能保全性命。』

『哈，我要拔斷你的舌頭，』文帝大呼道，然後轉頭下達命令：『當斬秀於市場以謝天下百姓。』

可憐的楊秀莫名其妙被關了起來，上表給文帝說：『臣以愚悔，誤陷刑網，後悔莫及，惟希望與爪子相見一面。』

爪子是楊秀愛子之名，文帝答應他的請求，卻又下詔將楊秀痛責一番，廢爲庶人，並且將楊秀終生禁錮。

楊諒是隋文帝第五個兒子，被封爲漢王，開皇十七年担任幷州總管，從華山以東到海，南至黃河，共五十二州都受楊諒的管轄。由於文帝喜愛楊諒，詔令楊諒可以全權處理轄區內的事務，儼然像個小皇帝。

太子勇被廢，楊諒知道是受到冤枉的，內心常有一種恐慌的感覺，楊諒掌管北方的邊防，手下又有強大的軍隊，於是便暗中計畫謀反，等到蜀王楊秀被廢，楊諒也知道那是楊廣設計陷害，內心更加不安，惟恐楊廣下一個要陷害的人輪到自己，便發兵反叛，文帝派楊素率兵討伐，楊諒大敗，投降，文帝不忍心殺楊諒，便下詔廢爲庶人，終身囚禁。

文帝生了五個兒子，到最後，除了楊廣之外，四個兒子都被廢爲庶人，眞是難兄難弟。

閱讀心得

【第214篇】

楊廣露出了狐狸尾巴。

自從太子楊勇被廢，次子楊廣登上太子寶座以後，隋文帝以及獨孤皇后都很高興，深慶國家以後得以有一位明君。在他兩人心目中，楊廣不但節儉成性，酷似文帝，而且不近美色，深得獨孤皇后的寵愛，實乃不可多得的繼承人。

在文帝仁壽二年八月間，獨孤皇后因病去世。楊廣聽到消息，當場昏厥過去。以後在文帝及宮人面前，楊廣數次因哀慟過分，哭得過猛，氣都喘不過來，看起來眞是可憐極了。

每一個看到楊廣如此悲痛的人，無不爲其孝行深情感動。尤其是隋文帝覺得相當欣慰，總算廣兒還有良心，獨孤皇后到底沒有白疼他。

事實上呢，像楊廣這種工於心計者，冷酷而自私。他曉得如何在最恰當的時候做最合適的表演，但那只是做作，並非眞情流露。所以楊廣回到宮中，眼淚一抹，馬上嘻嘻哈哈，恰似平常，沒有一絲的哀痛。

因爲哭喪表演得太過逼眞，動了元氣，因此楊廣特別要求在這一段時間要吃得特別豐富，特別營養。旁人以爲楊廣此時一定沒有胃口，結果剛好相反，他下令每天要進四十兩白米，又要最鮮嫩的肥肉、釀魚肉及肉乾，用來補一補身體。

但是遭逢母喪，不僅不吃素，反而大吃大喝，此乃有違常理。而且萬一消息走洩，讓人家知道孝子的盧山眞面目，不只是面子上不好看，惹怒了文帝，把他從太子的寶座上摘下來，這可不是一件好玩的事。

假如不吃這些美味，楊廣又饞得慌。急中生智，楊廣想出一個好辦法：他把這些肉乾等塞在竹筩之中，偷偷運進宮內，但是又怕油水太多，味道太香，讓人看出破綻。於是，楊廣用蠟把竹筩封死，以免油汁外溢。如此一來，楊廣得以安心享受他的山珍海味。眞是聰明之至。

獨孤皇后去世了，沒有人可以再管隋文帝，所以隋文帝得以放心大膽地去找宮中妃嬪。

然而，文帝左擁右抱的好日子沒有多久，在獨孤皇后去世以後的兩年，也就是仁壽四年，文帝自己也染上重病，病倒在仁壽宮之中。尚書右僕射楊素，及兵部尚書柳述、黃門侍郎元巖，都奉召入閣侍奉文帝的疾病。因爲文帝病得不輕，召太子楊廣居住在宮中的大寶殿之中，許多重要的軍國大事，均由楊廣處理。

楊廣知道文帝時日無多，著急地打算文帝駕崩以後的大事，惟恐文帝一死，大局難以控制。他就親筆寫了一封信給楊素，商討文帝歸天以後的種種安排。

無巧不成書，楊素寫給楊廣的回信，竟然被一個不會辦事的人送到了文帝的手中。

文帝打開信一看，滿紙全是寫著在他過世之後，楊廣應當如何如何應付的事。氣得發抖，如今他才慢慢了解楊廣是如何的『孝順』。

過了不久，又發生一件『太子無禮』的大事！

話說楊廣每天都要到仁壽宮中去探望文帝的病，侍奉湯藥，表現自己的乖巧。這一天，他又來到了仁壽宮中。不巧正闖到文帝的寵妃宣華夫人更衣外出，露出白膩的頸子，美色當前，楊廣心中一動，忖想反正文帝已躺在病床上奄奄一息，用不著再扮演『不近聲色』的假模樣，立刻對宣華夫人撲了過去。

宣華夫人萬萬料不到貌似恭謹的太子有此一招，嚇得花容失色，抓緊了衣襟就往前奔。一路逃到了文帝的病床前面，頭髮散亂、氣喘吁吁，臉上還在冒冷汗。

文帝看著好奇怪，宣華夫人怎如此地衣冠不整，像個驚慌的小鹿似地，心疼地問道：『怎麼回事？怎麼回事？』

宣華夫人的眼淚奪眶而出，又氣又羞地說：『太子無禮。』

『什麼？』文帝氣得猛搥床沿：『這個畜生如此混蛋，豈能將大事託付給他？』接著又嘆息道：『都是獨孤后誤我大事。』

說著，文帝立刻傳令：『召我兒來。』在旁伺候的柳述等，急忙差人去找楊廣。

『不是廣兒，是勇兒。』原來文帝大徹大悟，要把楊勇重新立爲太子，廢掉楊廣。

柳述慌張地出閣寫敕書，被楊廣知道了消息。立即下了一道假命令把柳述等逮捕入獄，派兵包圍住仁壽宮，進出宮中都要詳細盤查。然後，楊廣派出心腹張衡入宮侍疾。不一會兒，張衡拉殺文帝，血濺御屏，文帝就死在最疼愛的兒子楊廣手中。楊廣即位，是爲歷史上著名的隋煬帝。

閱讀心得

【第215篇】樹枝上的緞帶花。

在上一篇，我們說到隋文帝發現楊廣是個僞君子，乘著文帝病危，居然對文帝的寵妃宣華夫人露出猙獰的眞面目。文帝氣得想要換回原來的太子楊勇，卻被楊廣發現，先下手爲強，悄悄地解決了文帝的性命。楊廣終於得到覬覦已久的帝位，是爲隋煬帝。

煬帝爲著奪取帝位，長期以來假意爲善。現在，一切約束都解除了。本性完全發揮出來。

當初，煬帝的母親獨孤皇后認爲他不愛美色，溫柔敦厚，力主廢掉楊勇，改立煬帝。如今，煬帝即位以後的第一件事，竟然是把父親的寵妾宣華夫人，以及另外一個絕色的大美人蔡氏納爲己有。在歷史上，凡是此種事件稱之爲『烝報』。

爲除後患，在嗣位的同時，煬帝假造了一個命令，賜他的哥哥楊勇死。楊勇的十個兒子，也先後被遣發關外，有的在路中慘遭毒手，有的在到達目的地之後，再派人暗殺。總之，十個兒子全部殺光，不留一個活口。

至於幫助煬帝殺掉文帝的張衡，不久以後被削去官位，放還田里。煬帝並且派人時時監視張衡。後來，大概是長久窺伺頗嫌麻煩，竟然以張衡經常誹謗朝廷爲名，賜死於家中。張衡臨死以前，不服氣地大聲呼冤：『我

為人家做了那種事噢，還妄想久活嗎？』他到底爲煬帝做了什麼事，倒是不難想像的，無怪乎煬帝非要殺掉他滅口不可。

煬帝極有文才，加上自從開皇十一年之後，他曾經擔任過五年的揚州總管，受到江南文風的薰習，筆下功夫不錯。但是煬帝好名虛榮，而且心胸狹窄，如果旁人作了幾句好詩，他立刻酸氣沖天，視之爲仇人。

例如朝中大臣薛道衡被處死，煬帝憤憤地道：『哼，看你死了以後還能作「空梁落燕泥」這種好句子嗎？』王胄死後，煬帝也道：『嗯，庭草無人隨意綠，這句詩倒不錯，你以後還想再作更好的詩嗎？』煬帝是絕對不願意人出其右的。

因爲煬帝自認爲乃才學之士，所以他曾對侍臣道：『天下人都以爲朕乃承祖上餘蔭而有四海，其實，假如朕與士大夫較量文才，我還是應該當上天子。』事實上，煬帝不但當上天子是因爲生在帝王之家，他能夠當得上中國歷史上數一數二奢侈之君，除了浪費天性以外，也是由於隋文帝的『開皇之治』，造成國家富裕，有足夠的財產供他揮霍。

煬帝即位不久，聽術士之勸，把京都從大興（即今長安）搬到洛陽，因爲大興對煬帝的命星相剋。爲了鞏固洛陽的防務，他調集了幾十萬民夫，在洛陽的外圍挖了一條很長的壕溝，從現在山西陝西交界的龍門，到臨清關（今河南新鄉），南下黃河，再上行到陝西洛南縣。使得洛陽北、東、南三邊都有深河圍繞，沿邊並設置重重的關防，這條壕溝的長度在兩千華里之上。

然後，煬帝派遣楊素及宇文愷主持營建東都洛陽。城中有東、南、北三個市場，和一百零三個平民住宅區的『里』，大興城和洛陽城可以說是中國歷史上計畫都市之始。

洛陽城建築完成之後，成爲隋帝國之東都。城既然造好了，裡頭不能夠沒有人住。於是，煬帝下命令，將舊洛陽城內的市民，以及各州的富商大賈搬到新洛陽城之內，用以繁榮市面。

根據隋書的記載，因爲要趕建東都，有十分之四到十分之五的役夫過於勞苦，在工地裏病死。如果說每個月要用兩百萬人力，就有一百萬魂歸西天，實在相當殘酷。

當然，營建東都還有政治上、國防上、經濟上的用途。但是，煬帝大興土木，修建宮殿，純粹是爲著個人的享受。

煬帝在大業三年在洛水之上修建顯仁宮，下令將大江以南、五嶺以北的各式奇材異石，火速送往洛陽，又徵求海內嘉木、異草、珍禽、奇獸用來充實園苑。

顯仁宮剛剛造好不到兩個月，煬帝又要修建西苑。西苑有兩百里之廣，其內爲『海』，實際上是一個大湖，風景宜人，四周有蓬萊、方丈、瀛洲三座人工造的假山，每座都有數百尺之高，聳立雲霄。古代沒有堆土機，都是靠人一擔又一擔將土石挑上去的。

山上建築的臺觀殿閣，無不窮極華麗。沿著渠旁更造了十六個宮院，每院派一位美女四品夫人爲主管。洛陽的天氣較冷，到了秋冬之際，枝葉凋落，光禿禿的一片十分蕭瑟，煬帝即下令用鮮豔的錦絹做成人造花，點綴在枯枝之上，姹紫嫣紅，比眞的更好看。當然，人造花也有褪色的時候，所以派有專人照料，隨時更新，難怪院中『常如陽春』。這大概是日後的緞帶花、紙花的鼻祖了。

此後，煬帝幾乎年年在修宮殿，耗費人力財力無數。例如洛陽乾元殿的樑柱，每一根都是由南昌運來的巨木，而一根木頭要用兩千人才拉得動，可見得工程之浩大。

同時，每一座宮殿都有特殊的設計。例如觀文殿前垂著錦幔，上頭有兩個張著翅膀的小飛仙，戶外地下裝有機關，每當煬帝要進入，前頭開導的兩個宮人拿著香爐，脚上踩到機關，上頭兩個可愛的小飛仙立刻飛下，把錦幔拉開，其他如門窗與書櫥都設有自動開關，煬帝著實會享受。

修建宮殿需要大筆金錢，農民必然要負擔更重的租稅；修建宮殿更需要大批人力，力役又非農民莫屬。因此，煬帝大興土木，使得全國怨聲載道。

閱讀心得

【第216篇】

世界最長的運河—大運河。

在上一篇〈樹枝上的緞帶花〉之中，我們說到，被他的父親誤以爲節儉的楊廣，自從當上皇帝之後，原形畢露，可以稱得上是一個最會浪費金錢，最懂得享受的皇帝。

儘管煬帝將東都建造得美輪美奐，日久不免生膩。於是，他想起江南的美麗風光，江南的富庶繁華，乃至紙醉金迷的生活，日夜思念不已。

於是，煬帝對大臣說：『朕想要到江都（今江蘇省揚州市）去痛痛快快玩一玩，你們替我計畫一下。』

『陛下，』一位大臣道：『江都距離此地甚遠，來往不易，恐怕有所困難。』

『這個我知道。』煬帝打斷大臣的話：『我想利用淮河與長江的水，修築一條人工河，從東都到達江都，再由江都向南延長，然後穿過長江到餘杭。』

緊接著，煬帝以江南財物富足，要想鞏固隋朝的國運，必須仰賴江南經濟支持爲名，正式下詔開鑿運河。他所開的運河，一共分爲三段：通濟渠、永濟渠、江南河。此爲前所未有的鉅大工程。

爲著建這條運河，所用的人力無數，男丁不夠，連婦女也派上用場。

根據唐朝人所寫的《開河記》中記載，一共用了五百四十三萬多人，當工程進行到徐州，已少了一百五十萬人，可見得死傷之多。因爲官吏催得急，所以工程益發危險，死人都是一車一車載著走。東自滎陽，北到河陽，一眼望去，全是載死人的屍車，恐怖萬狀。

煬帝在大業六年八月，通濟渠建好之後，立刻迫不及待遊幸江都。在沒有出發以前，他先派遣官員到江南採辦上好的木料，建造龍舟、鳳船、赤艦、樓船等等。

龍舟有四層之高，共有四十五尺，長二百尺，中分正殿內殿、東西朝堂，中間的兩層共有一百二十個房間，全都是金玉雕飾而成。下邊的一層由內侍居住。皇后乘的船稱爲翔螭舟，規模比較小，內部的裝飾則相同。

這還不算，後面還跟著稱之為漾彩、朱鳥、蒼螭、白虎、玄武、飛羽、凌波、道場、玄壇的數千艘船，載滿了後宮諸王、公主、百官、僧尼、道士、蕃客及數以百計的下人，浩浩蕩蕩。

古代的船沒有馬達機械，全用人工搖槳，遇到逆水，大船是很難前進的。所以，常常要繫一根粗繩索到岸上，由岸上的挽船夫拉著繩索使船前進，煬帝這樣龐大的船隊要用多少人拉呢？據說有八萬人之多，如果是拉龍舟、漾彩等居住貴人的船的拉夫，個個都穿著五彩繽紛的錦袍，稱之為『殿脚』。

皇帝出宮，不能沒有人保護。所以又準備平乘、青龍等數千艘兵艦護駕，船上有兵器帳幕等精良配備，船頭與另一船的船尾相接，總共長達二百餘里。遠遠望去，旌旗蔽野，十分壯觀。

帶著這許多人南下，吃的用的從何而來？隋煬帝規定：沿途五百里内都得供奉飲食。皇帝駕到，地方官吏豈敢怠慢，自然紛紛獻上當地最爲名貴的土產，有的州竟然獻上了一百車的食物，每一樣都是水陸珍奇，人間美味。食物太多了，沒法吃完，因此不免隨地拋棄，或者是埋藏在地底下，這眞是名副其實的『暴殄天物』。

一路人馬沿途打劫到達江都。到了第二年的二月，煬帝要從江都回到洛陽，此時改走陸路，自然也是要擺足皇帝的威儀。

爲著要裝飾車輿、旌旗及三萬六千人的儀仗隊，煬帝需要用大量華貴的羽毛。他下令各州各縣進獻羽毛，做爲州縣賦稅的一部分。

地方官吏接到命令，不能不辦，又把這一項艱難的任務，課加到老百姓身上。上邊逼得兇，官吏對百姓催得更急。

所以，幾乎天上、地下、山嶺、河川，只要是禽獸的羽毛可以拿來使用的，幾乎一網打盡，捕捉盡淨。一隻野雉尾巴，要用十匹絹才換得到。

當然，煬帝開鑿運河，主要是爲著遊幸江都。然而，這條大運河的開建，確有其歷史意義。

隨代統一中國之後，以關中爲政治中心。然而經過五胡亂華，以及戰亂不已的魏晉南北朝，秦漢時代沃野千里的關中，早已殘破不堪，一切物質需要仰賴江南的供給。

可是，自江淮地區到長安一帶，路程要好幾個月，無論用牛運馬馱，沿途費用可觀。十石的米運到長安，可能其中有八石就消耗在旅途之中，否則一路之上人馬吃些什麼。

因此運河建築而成，成爲溝通南北之大動脈，沿岸的據點如杭州、鎮江、揚州、開封成爲繁榮的大都市。隋、唐、五代、明、清各朝無不仰賴大運河，對於促進國家政治、經濟、文化發展，具有極大的貢獻。到清朝末年鐵路興建之前，大運河始終爲南北交通的大動脈。

因此，煬帝固然暴虐無道，他修建運河也是爲著個人的享樂。然而，我們要知道，修建運河是一件極其艱鉅的工程，需要精密的測量與高超的技術，單靠蠻力是不夠的，我們在一千多年前能夠修築世界最長的運河（全長八五〇英里），更是對政治上最有影響力的運河，此足以證明中國人的智慧。

閱讀心得

【第217篇】

不收費的酒食店。

隋煬帝好大喜功，除了大興土木修築宮室，開鑿大運河之外，更熱中於對外發動戰爭，藉以誇耀富強，譬如說煬帝對於突厥的經略。

突厥自稱爲狼種，是匈奴的一支。在北魏太武帝消滅北涼之時，突厥之鼻祖阿史那氏，率領五百家逃奔柔然，居住在今天阿爾泰山之南。這一群突厥人，專門爲柔然部族從事冶鐵的工作。以後，突厥漸漸強大，向柔然主要求通婚。

柔然的君長勃然大怒：『突厥不過我家鍛鐵的工奴，竟然自不量力，向我求婚，未免太不知輕重了吧。』突厥人受到了侮辱，一怒之下，發兵佔領了柔然地，建立了國家。因爲善於鍛鐵，兵器精良，日漸壯大。佗鉢可汗在位時，甚至口出狂言：『我在南方有兩個乖兒子（指北齊與北周），非常孝順。』

後來，突厥分爲東西兩部分，東突厥的突利可汗被隋文帝封爲啓民可汗，與隋朝通使和好。

煬帝大業四年正月，啓民可汗穿戴中國衣冠來朝，煬帝大悅。同年六月，煬帝自榆林郡出塞北誇耀兵容，他先派遣武衛將軍長孫晟傳諭旨。啓民可汗奉到詔令，召集所屬諸國奚、室韋等酋長數十人聚在一塊兒。

長孫晟是個具有外交長才的官員，他看到啓民可汗的牙帳之中，深草蕪穢，想要叫啓民可汗親自除草，藉以表示隋朝的天威。

於是長孫晟向前跨了一步，對著地上的草說：『這根草香得出奇。』

『噢？』啓民可汗連忙蹲下來趕快的一嗅香味。一會兒，他捏著鼻子站起來道：『非常的不香。』又做了一個噁心厭惡的表情。

長孫晟說：『天子所經過的地方，所在地的諸侯，必須躬自灑掃，清除御路，以表至敬之心。如今牙帳內長了這許多汙穢的雜草，我還當它是留香草，不能割去呢。』

啓民可汗中了計，恍然大悟曰：『這是奴才的罪過。奴才的骨肉都是天子所賜，得効筋骨，豈敢有辭，只是邊疆之人不知法度，全賴將軍教導。』

說著，啓民可汗拿起佩刀，恭恭敬敬地親自除草，他的部下及所屬酋長也爭著仿效。甚且發動人民將自榆林北境，東達於薊，長三千里，寬百步的地方清除乾淨。舉國參加役作，爲煬帝開御道，煬帝因此高興得不得了。

不久，啓民可汗上表道：『臣非昔日突厥可汗，乃是至尊臣民，願意率領部落，變改衣服，一如華夏。』

但是，煬帝並沒有答應，在他看來有邊疆外族臣服於他，遠較化爲漢人有意思得多。爲著在突厥面前誇耀，煬帝特別製作了一種可容納數千人的大帳，在帳中宴請啓民可汗，表演魚龍百戲，胡人們看得又害怕又歡喜。

在八月間，煬帝又率甲士五十餘萬，馬十萬匹浩浩蕩蕩開往關外，車隊綿亙千里不絕，蔚爲奇觀。他又命令宇文愷造了一座活動宮殿叫風行殿，可以拆開，又可以合起來，殿中有侍衛數百人。風行殿下面用輪軸行進，忽前忽退，看得胡人們目瞪口呆，驚奇得張大了嘴，以爲見到了神。因此，在離開煬帝御營之外十里，已不敢前進，跪在地上叩頭不已。

隋煬帝到啓民可汗的帳中巡幸，啓民可汗立刻捧觴敬酒，跪在地上十分恭敬。煬帝眼見胡人們一字排開，個個跪在地上不敢擡頭仰視，心中眞是得意非凡。

他把酒杯中的酒一飲而盡，隨口吟了一首詩：『呼韓頓顙至，屠耆接踵來，何如漢天子，空上單于台。』這首詩的意思是說：呼韓邪跪在地上不敢起身，夷狄各王接踵而來。漢武帝雖然兵震四海，當他打到匈奴之時，匈奴早已遠逃，他只能登上空無一人的單于台，做個白日夢，那裡能夠和我隋煬帝媲美呢？

煬帝愈想愈窩心，立刻賜啓民可汗及公主金甕、衣服、被褥、錦綵等，表現一下他的出手闊綽，排場不凡。

大業六年，隋煬帝邀請蕃酋長到洛陽過新年、賀元宵。在端門街前表演種種遊戲。有人戴獸面具，有男扮女裝者，嘻嘻哈哈，鳴鼓聒天，熱鬧非凡。在戲場外圍五千步，奏樂者即達一萬八千人之多，聲聞數十里。從早到晚，燈火光燭天地，足足鬧了一個月才罷休。

諸蕃眼見中國如此富強，請求與隋朝互市交易。煬帝答應之後，爲著誇耀財富，先命店鋪修理粉飾一番，簷宇如一，盛設帷帳，珍貨充積，人物華麗盛多，連賣菜的也鋪上了龍鬚蓆。只要胡人經過酒店門口，店主一定把客人拉進來，招待他又吃又喝，直到酒醉飯飽，卻又不取分文。

胡人覺得好奇怪：『爲何不收錢呢？』

店主騙胡人道：『中國豐饒，酒食向來不取分文。』胡人驚嘆不已。

有一個狡黠的胡人，看出其中有問題，指著一棵纏滿綿帛的大樹幹譏諷地說：『我看中國也有貧窮的百姓，衣不蔽體，這些布不給他們拿來做衣服，纏在樹上幹什麼？』

店主面紅耳赤說不出半句話。事實上，此時的隋朝在煬帝的浪費濫用之下，已經民窮財盡。天災人禍相逼而來，老百姓苦不堪言，農業生產幾乎已經停頓，煬帝卻還在打腫臉充胖子自欺欺人。

煬帝的政權至此已呈現不穩，中國的歷史又將走向一個新的歷程。

閱讀心得

【第218篇】

隋煬帝親征高麗。

在隋煬帝巡幸啓民可汗營帳的時候，剛好高麗的使者，正在啓民可汗的牙帳之中，啓民可汗不敢隱瞞隋煬帝，把高麗使者帶出來引見。

高麗就是今天韓國的一部分，在漢武帝時代稱之爲朝鮮，漢元帝時朱蒙據有其地，建立了高句麗國，後來改名爲高麗。隋代初年，朝鮮半島有高麗、新羅、百濟三個國家，其中以高麗最爲強大。

在隋文帝時代，高麗王高元率領軍隊竄擾遼西，隋文帝乘機發動了東征，可是碰上颶風，船多沈沒。雖然如此，高元已經領教了隋朝的厲害，上表向文帝謝罪，自稱爲『遼東糞土之臣元』。文帝一看『糞土之臣』，覺得極有面子，雙方罷兵。

這一會兒，隋煬帝看到高麗使者前來朝見啓民可汗，居然不去隋朝進貢，心裏頭酸溜溜的。黃門侍郎裴矩抓住隋煬帝好大喜功的心理進言道：『高麗本來是商紂王時代，紂王無道，他的叔父箕子因爲勸諫不聽，披頭散髮假裝瘋子，以後周武王滅商朝，封箕子於朝鮮的舊地，所以朝鮮本來就是中國的，先帝老早就想攻下，可惜師出無功。現在陛下在位，豈可不取，使得過去一個衣裳楚楚，冠帶整齊，文化頗高的國家，成爲一個野蠻的地方？』

隋煬帝認爲裴矩這番話很有道理，立刻宣旨道：『朕因爲啓民可汗誠心奉國，所以朕親自到他的牙帳之中。你回國趕快告訴高麗王早日來朝，朕將待他一如啓民可汗。倘不來朝，朕將率啓民大軍東征高麗。』

結果，高麗王硬是沒有來朝。煬帝心想：好一個『糞土之臣元』竟然不把隋朝看在眼裡，是可忍也，孰不可忍也。而且說了要去攻打的，如果不兌現，簡直威信掃地。立刻準備戰馬武器，準備攻打高麗。

煬帝大業七年，他下詔命令幽州總管元弘嗣前往東萊海口造船三百艘，限期完成。官吏督責船工站在水中工作，從早到晚，一刻也不准休息。因爲在水中浸泡過久，船工們自腰部以下都生了蛆，十個人之中就有四個人因而喪生。

然後，煬帝又命令運輸黎陽及洛口的米到涿郡，舟車人夫達十萬之多，使得道路阻塞，死者互相枕藉，整整一千多里的隊伍，彌漫著惡臭的腐屍味，天下爲之騷動。

看著這樣的赫赫威勢，煬帝更加得意忘形，他故意詢問大臣庾質道：『高麗之衆，不能當我一郡，今朕以此衆伐之，卿以爲克不？（克不，就是能夠攻克嗎？）』

沒有想到庾質個性耿直，竟然道：『如果攻打而未攻下，徒損皇上的威靈。』

煬帝十分火大：『你害怕，你可以留在這兒。』

隋煬帝自命爲大元帥，他把軍隊分爲三道，規定凡是『軍事行止，皆須奏聞待報，毋得專擅。』就是軍隊一進一退，一舉一動，都得問過皇帝，把軍報傳到御營之中，由他本人決定，其他將領不可擅自指揮。打仗乃瞬息萬變之事，怎可由皇帝指示攻守，這不是開玩笑嗎？但是煬帝不管。他獨斷獨行的結果，一連吃了三次敗仗，然而始終不肯覺悟。

煬帝認爲城攻不下是將士不肯盡力，他把將領統統召集到了跟前詰責：『你們自以爲官高，又自恃家世好，懦弱昏暗，難怪都不主張我親征，就怕我看見你們的毛病缺陷。我偏偏要來看你們，斬你們的腦袋，你們今天怕死不肯盡力打仗，以爲我不敢殺人嗎？』諸將都相顧失色，卻更軍心渙散。

煬帝又下了一個規定，每一個兵士發給百日糧，又發給排甲、槍梢、衣服、戰具、火幕，這些都要全部背在身上。

兵士背著三石的重物行軍，實在苦不堪言，尤其正值盛夏，更是難以忍受。槍梢等武器不能任意拋棄，只有在糧食上動腦筋了，可是又礙於拋棄糧食會殺頭的命令。窮則變，變則通，大夥紛紛把糧食埋在地下。於是，軍隊才走了一半，糧食已經全部吃光了。

這個時候，隋朝大軍糧食缺乏，人人面有飢色。高麗大將乙支文德發現這個情況，決定誘敵深入，每次一打就逃，使得隋軍疲於追趕，甚且一日之中連敗七陣。隋軍個個追得氣喘吁吁，滿頭大汗。

隋軍來到平壤城郊三十里處，高麗伏兵突起，隋軍早已疲憊不堪，一戰便敗，趕快撤退。當隋軍追到潼水，正在渡河之時，被高麗軍從後襲擊，全軍覆沒，三十萬大軍只剩下二千七百人逃回遼東，軍資器械損失殆盡。

閱讀心得

【第219篇】楊素不肯服藥。

大業七年，隋煬帝親自討伐高麗，志在必得，竟然鎩羽而歸，使得煬帝異常惱怒。他不甘心的說：『高麗小國，竟敢侮辱怠慢我上國，今天我要拔山移海，都不是一件難事，何況對付此一小虜？』

於是，隋煬帝又開始積極籌畫第二次東征東麗。在中國的歷史上，歷來的皇帝很少做過大規模的遠征，因爲打仗著實勞民傷財，中華民族又是一個愛好和平的民族。同時，古代極少有職業軍人，每遇戰事，總是要到農村去拉壯丁，荒廢農事。再加上爲著戰爭增加的稅收，在在使得人民叫苦連天。

在漢武帝討伐匈奴的時候，因爲胡人經常南下牧馬，侵奪財物，所以人們有一種同仇敵愾的心理，非常支持漢武帝的遠征。可是，隋煬帝討伐高麗，除了滿足其個人的虛榮心之外，實在沒有多大道理。加上隋煬帝種種倒行逆施，普遍地引起人民的反感。

在隋煬帝第一次討伐高麗之時，國內反對浪潮就很高。當然獨斷獨行的煬帝不會理會這些的。然而在大業九年，隋煬帝再次親征之時，聽説後方楊玄感叛變，卻使得煬帝大爲恐慌，火速撤軍。楊玄感爲何許人也？爲什麼旁人作亂，煬帝全不當一回事，楊玄感起兵卻使得煬帝大爲震驚？

楊玄感就是楊素的兒子。隋煬帝楊廣之所以能奪走太子楊勇的位置，榮登太子的寶座，主要是靠楊素的陰謀詭計才能成功。

楊素爲楊廣立下大功，非但官高爵顯，而且前前後後所得的賞賜，不可勝計。然而，楊素爲煬帝謀害父親及兄弟的往事，永遠使得煬帝覺得有一個把柄爲楊素握住。所以，雖然表面上煬帝對楊素好到極點，骨子裡卻不是那麼回事。

楊素老了，病倒在床，煬帝命令全國最好的醫師爲他診治，並且不惜巨資購買最上等的藥材，關懷又體貼，然而事實上，煬帝時時偷偷拉著醫生問病情，一直希望楊素早日歸天。

楊素是個何等聰明的人，他當然曉得煬帝肚子裡的鬼胎，他自忖這輩子名譽、聲望、財富都已經到達了頂點，別無所求。所以他不肯服藥，也不聽醫生的話好好休養。楊素對他的弟弟楊約說：『我何必再活下去？』果然沒過多久，楊素死了。

楊玄感爲楊素的兒子，他年紀小的時候略嫌呆笨，親戚朋友都笑楊玄感是一個癡兒，楊素每次都分辯道：『我的兒子並不癡。』

果然，長大以後，楊玄感不但不笨，而且聰明好學，擅長騎射。因爲楊素的官位高，所以楊玄感出道沒有多久，即拜郢州刺史（拜爲古代任官之意）。他一上任以後，立刻到處佈置耳目，考察地方小官，那個賢能，那個貪汙，楊玄感都知道得十分清楚，而且辦起案來絲毫不留情面，官吏百姓，都對他又敬又怕。不久，轉任爲宋州刺史。

楊玄感出身世家，體貌雄偉，風采翩翩，又自負才學，允文允武，集種種優良的條件於一身，不免性情有些驕倨。但是他好讀書，喜賓客，愛好文學，大概是當時天下的第一青年才俊。所以海內的知名之士，多以能與楊玄感結交爲榮。

在所有的賓客之中，楊玄感與李密的交情最好。（請注意：歷史上有兩個名人都叫李密。孝順祖母的李密爲晉武帝時代的人，以寫陳情表著名；現在講的李密乃日後反隋的重要人物。兩個李密在歷史上都極爲響亮。）

李密的曾祖父、祖父、父親都是驍勇善戰的英雄，李密家學淵源，少有才略，志氣雄遠，不看重錢財，專愛結交朋友。他在宮廷裡面擔任左親侍屬左翊衛的官職。

有一次，煬帝見到李密看著很不順眼，對宇文述說：『剛才左儀衛仗下，有一個臉孔黑黑的小兒，他的眼神視瞻異於常人，不要讓他擔任我的宿衛。』

於是，宇文述暗示李密快捲舖蓋走路，李密便假託身體不適辭去官職，專心讀書，研究學問。

有一天，李密坐在黃牛背上，把一帙漢書掛在牛角上，邊翻邊誦，另一隻手捉緊縛在牛胸部的皮帶，緩緩前行。那種專心致志的用功神情，剛好被楊素瞧見了。楊素對他用功的態度十分佩服，立刻把李密請到家中，奉若上賓。

到了家中，相談之下，楊素對李密更加欣賞。他對兒子楊玄感道：『李密的見識與氣度，都值得你學習學習。』以後，楊玄感與李密遂成爲刎頸之交。

楊素在未死之前，自以爲對煬帝有大恩，所以相當傲慢，在朝宴之際，時常失去爲人臣子應有的禮節。煬帝心裡相當銜恨，但是口上不提。楊素自己也知道，所以才有不肯服藥，寧可早死的怪事。

等到楊素歸天以後，煬帝對近臣說：『哼，假如楊素不死，遲早會走上滅族的命運。』楊玄感也曉得煬帝的心事，對於自家在朝廷之中的尊貴顯赫也有些不安。

閱讀心得

【第220篇】楊玄感之亂。

在上一篇〈楊素不肯服藥〉之中，我們說到：隋朝大臣楊素自認爲有輔助煬帝奪取皇位的功勞，跋扈而囂張，因此在病危之際，堅持不肯服藥。因爲他心中十分清楚，煬帝終究是容不下他的。

事實上，楊素也的確是過於張狂，在他貴寵最隆之時，他的弟弟楊約、叔父文思、文紀，以及族父異，竟然並爲尚書列卿；他的兒子們毫無汗馬功勞，也一個個位居柱國、刺史。楊素家中僮僕數千，後庭內姬妾也數以千計，第宅的華侈，實在無異於宮中。

楊素的兒子楊玄感深知楊家招忌，尤其爲煬帝所不滿。同時，煬帝的種種倒行逆施，也使得楊玄感看不過去。所以楊玄感偷偷和弟弟們商量，想要廢掉煬帝，改立秦王浩爲君主（秦王浩是煬帝的弟弟秦王俊的兒子，也就是煬帝的姪兒）。

正當楊玄感想要突襲皇宮，陰謀政變之時，他的叔父楊慎提出反對的意見。楊慎的理由是：儘管滿朝文武，均爲楊素當年所用的將吏，不過，『此時士心仍然心向朝廷，未可輕易圖謀也。』楊玄感聽了他叔父的話，才打消了政變的念頭。

既然廢立不成，楊玄感就準備先立威名，訓練一批能爲自己所用的將

領。他對兵部尚書段文振說：『玄感世荷國恩，寵錫遠過他人，怎能夠不効命邊疆，敷衍塞責？』

段文振把此話轉給煬帝，煬帝十分嘉許，對著群臣說：『將門必有將，相門必有相，此言不虛也。』說罷，哈哈大笑，從此對楊玄感十分禮遇。

後來，隋煬帝第二次遠征高麗，特別任命楊玄感在後方主持補給運輸工作，駐紮在黎陽（今河南濬縣）。這時人心厭戰，怨聲載道，楊玄感知道機會到了，他登高一呼道：『如今皇上無道，不以百姓爲念，天下騷動擾亂，在遼東死以萬計。現在我與君等起兵，以拯救天下百姓的痛苦，你們看怎麼樣？』

群衆都歡呼，甚且有人跪在地上喊萬歲，各地響應者有十餘萬人，聲勢浩大。

許多投奔楊玄感的百姓都說：『以前天下富足時，我們的父兄前往征伐高麗，都一半回不了家；如今天下疲弊，皇帝還要我們去攻打高麗，這一去，我們還能想有命嗎？』於是，響應者愈來愈多。

楊玄感本爲楊素之子，乃天下第一望族，本來即容易爭取人心，加上他當衆宣誓：『我身爲上柱國，家產鉅萬，對於富貴，已無所求。現在不顧冒著毀家滅族殺頭的危險，願意起兵叛變，實在是爲著解救天下人民如雞頭被倒懸一般的痛苦。』人們聞後，想想的確有理，益發尊敬楊玄感。

這個時候，楊玄感派了一個家僮到長安，把李密找了來，問李密道：『你以解救天下萬民爲己任，如今正逢其時，請問你有什麼計策？』

李密沈思一會兒答道：『有三個策略：如果我們趁著天子出征，長驅入薊（天津山海關一帶），扼住咽喉，不過十天半個月，東征高麗的糧草必盡，天子即將不戰而降，這是上策。其次是直取長安，收其豪傑，即使天子急返，也難收復失地，這是中策。』

玄感道：『請再問其次。』

『下策是利用精銳部隊，襲取東都洛陽。不過，如此一來，戰事可能要還延數月，而且勝敗未定。』

『不對，不對！』楊玄感搖頭道：『現在東征高麗官兵的家屬都在東都，如果能先攻下此，軍心必然動搖，更可以向天下示威。公之下計，乃上策也。』

這個時候，隋煬帝在遼東聽說楊玄感造反，十分憂慮。又聽說達官貴人的子弟紛紛投靠楊玄感，心中更加不安。

大業九年六月，煬帝火速撤軍，密令前面諸軍也連夜撤軍。倉促之間，所有堆積如山的軍資、器械、糧食，都委棄而去，營壘帳幕，也都留置不動，匆匆忙忙結束了第二次遠征高麗。

再說，自從楊玄感到了東都，自以爲天下響應，又因爲和李密意見不能完全相合，轉而信任一個叫作韋福嗣的小人。韋福嗣只是迎合楊玄感的心意而搖擺。李密看出韋福嗣是個沒有原則的人，對楊玄感說：『福嗣心存觀望，如今初起大事，姦人在側，聽其混淆是非，必爲所誤，請速斬之。』

楊玄感不肯，他說：『那有你說的那麼嚴重！』還以爲李密吃醋哩。

結果，韋福嗣的意見果然不成，加上守東都的大將尚書樊子蓋，奮力抵抗。同時，煬帝又班師回朝。兩方包抄的結果，使得楊玄感軍隊大敗。到了最後，楊玄感和少數十餘騎兵奔竄於山林之間。一會兒，後面的追兵快要追趕到了，他窘迫萬分，與弟弟楊積善跳下馬來步行。對積善說：

『事情失敗了，我不能夠受人戮辱，你可以把我殺掉。』

積善掏出刀來自殺，未成。二人被追兵執住，在東都市被磔屍（磔，爲古代分裂肢體的刑罰）。三天之後，屍體又被切成一塊一塊的燒掉。

楊玄感起兵黎陽，不到一年即亂平。然而，影響力甚大。因爲過去大部分起兵作亂者均爲飢寒交迫的百姓，雖然能夠擾亂社會，卻不容易變易王朝，可是名流世家加入以後，作亂者不只是作亂，眞正是起義了。

然而煬帝絲毫不覺悟，他說：『楊玄感一呼，而從者十萬，可知天下的人是太多了，多了就要成爲賊，不盡情誅殺，不能夠懲其後者。』因此一口氣殺了三萬多人，其中一半以上是冤枉的。楊玄感圍東都時，曾經打開城外的糧倉，賑濟沒有飯吃的百姓。煬帝一發火，這些吃了糧的百姓都被活埋，死者不可計數。

煬帝殺人如麻，隋朝的氣數亦將告盡。

閱讀心得

【第221篇】隋煬帝遊幸江都。

自從楊玄感之亂以後，在大業十年，隋煬帝又發動了第三次討伐高麗，此時全國有若星火燎原，處處都有造反作亂之事。開往高麗的士卒，有一半在中途就溜之大吉。煬帝雖然屢次下令，逃兵一律斬殺，仍然不能阻止逃亡的浪潮。結果第三次遠征高麗又是徒勞往返，高麗王高元依舊沒有來朝。

大業十二年四月裡，一天晚上，大業殿西院忽然失火。煬帝睡了一半，被熊熊火光所驚醒，匆匆忙忙逃到西苑，躲入草叢之中，等到大火撲滅以後，方才氣喘未定的返回內宮。

事實上，因爲造反四起，從大業八年以後，煬帝經常做著惡夢，自床上跳起喊捉賊，總要命令幾位婦人爲他按摩以後，才能徐徐睡去，精神極爲困擾不安。

由於恐懼盜賊，性情較以往更爲暴戾！有一天晚上，煬帝在景華宮又猛發脾氣：『奇怪，怎麼看不見螢火呢？』於是，三更半夜勞師動衆數千人爲煬帝捉螢火蟲，一共捉了五百車的螢火蟲，在他遊山時一起放出，光芒照遍巖谷，煬帝才稍稍滿意。

過去秦朝二世皇帝，因爲害怕亂事蜂起，所以掩著耳朵不肯聽消息，

隋煬帝諱言盜賊的情形也差不多。

煬帝詢問宇文述大將軍：『最近盜賊的情形如何？』

宇文述想也不想，馬上回答：『漸少。』

『比以前少了多少？』

『比不上十分之一。』

這時，蘇威隱身在大柱後面，希望別給煬帝看見，結果還是被逮著問話。蘇威只有站出來回答：『臣非掌管這件事的，不知道盜賊有多少，我只是憂慮盜賊一天比一天更多了。』

煬帝不解道：『這話是什麼意思？』

蘇威解釋：『過去盜賊盤據長白山，今者近在汜水。而且，往日繳納租賦的丁役，現在都到那兒去了？莫非這些人全化爲強盜了。最近報上來有關盜賊的消息，恐怕均非實情實報，使得朝廷沒有良好的對策。』

這番話，說得相當坦白，使得煬帝大爲不悅。過了幾天，到了五月五日，百官都獻上許多珍奇玩物，獨獨只有蘇威，什麼精巧的寶物都沒有送，只送給皇帝一本《尚書》。

有人向煬帝打小報告：『《尚書》內有五子之歌，敘述夏朝太康亡國。蘇威的用意是把陛下比爲太康，只知道逸豫盤遊，不知道爲民著想。』

煬帝聽了，益加的不滿意蘇威。

又過了幾天以後，隋煬帝問蘇威關於討伐高麗之事。

由於朝廷中的大臣多半爲著自保，故意隱瞞盜賊之事。忠心的蘇威，爲著想讓煬帝了解事情的嚴重性，諷刺的說道：『今天要攻打高麗簡單得很，用不著發動部隊，只要下個命令大赦群盜，一下子便有數十萬人之多，然後我們派這些盜賊東征高麗，他們一方面喜於免罪，一方面又要爭著立功，高麗就可滅了。』

煬帝當然聽懂了蘇威的意思，心裡頭益發的不痛快。等到蘇威走出宮後，最會察言觀色拍馬屁的裴蘊，立刻向前一步道：『此人未免太不恭遜，天下那裡會有這許多的盜賊呢？』

『哼！』煬帝嗤之以鼻：『這個老頭想用盜賊來威脅我，沒有的事，我剛才恨不得打他的嘴巴，暫時且忍耐一下吧。』

裴蘊摸清楚煬帝想整蘇威的心意以後，找了一個白衣張行本上了一個奏章（白衣就是無官職的人，按古時做官，什麼官職穿何種衣服，戴何種帽子，規定得清清楚楚），奏章中誣陷蘇威以前在高陽地方濫授官職，煬帝因而下詔蘇威入獄。幾天之後，又有上奏謂蘇威私通突厥，圖謀不軌。

此案剛好由裴蘊審理，他爲著討好煬帝，把蘇威判了一個死刑。蘇威無法爲自己辯白，只有不斷在地上叩頭，直叩得鮮血滿地，煬帝遂免其一死，但是蘇威子孫均被除名，永遠不得錄用。

煬帝在宮中正爲此事愁悶不堪，正好江都新製的龍舟做成，送到東都洛陽獻給煬帝。宇文述勸皇上去江都散散心，煬帝滿口答應。

右候衛大將軍趙才上諫曰：『今天下百姓疲勞，府庫空竭，盜賊蜂起，法令不行，願陛下速還京師長安，以安民心。』

此話說得極爲不動聽，煬帝大怒，立刻把趙才交到官府去治罪。朝廷中的臣子沒有一人贊成煬帝此時遊江都的，但是煬帝的心意相當堅決，有一個有骨氣的建節尉任宗上書極諫，馬上在朝堂之上被斬。

煬帝終於上路了。臨走之前，還很風雅的寫了一首詩留給宮人『我夢江都好，征遼亦偶然。』這句詩的意思是：遊江都乃我最愛之事，遠征高麗乃屬偶然之事，非所好也。

剛剛出宮，在建國門有一奉信郎崔民象上表，以天下盜賊充斥，諫請皇帝打消遊興，煬帝氣得當場斬了崔民象。

當煬帝一行到達汜水，又有一個不怕死的王愛信上表，諫請煬帝速還京師，煬帝也把他給斬了，仍然繼續遊程。

到了梁郡，郡人遮攔車駕上書：『陛下若要遊幸江都，天下則非陛下所有。』再斬郡人之後，煬帝終於固執己見到達了江都。

在中國古代因爲是君主專制時代，上諫乃成爲臣民爲百姓謀求福利唯一的一條道路。拿今天民主的眼光看了固然不合理，然而我們不能用古人沒有民主精神批評這些讀書人。相反的，他們不怕死，爲眞理而犧牲奮鬥，代表中國古代知識份子的一種道德精神，一種崇高的責任感。比起今天某些民意代表爲著一己私利，什麼不要臉的事情都爲所欲爲，眞有天上地下之別。

閱讀心得

閱讀心得

閱讀心得

歷代‧西元對照表

朝　　代	起迄時間
五帝	西元前2698年～西元前2184年
夏	西元前2183年～西元前1752年
商	西元前1751年～西元前1123年
西周	西元前1122年～西元前 771年
春秋戰國(東周)	西元前 770年～西元前 222年
秦	西元前 221年～西元前 207年
西漢	西元前 206年～西元 8年
新	西元 9年～西元 24年
東漢	西元 25年～西元 219年
魏(三國)	西元 220年～西元 264元
晉	西元 265年～西元 419年
南北朝	西元 420年～西元 588年
隋	西元 589年～西元 617年
唐	西元 618年～西元 906年
五代	西元 907年～西元 959年
北宋	西元 960年～西元 1126年
南宋	西元 1127年～西元 1276年
元	西元 1277年～西元 1367年
明	西元 1368年～西元 1643年
清	西元 1644年～西元 1911年
中華民國	西元 1912年

國家圖書館出版品預行編目資料

全新吳姐姐講歷史故事. 9. 南北朝－隋代/吳涵碧著. --初版.--臺北市；皇冠，1995〔民84〕
面；公分（皇冠叢書；第2475種）
ISBN 978-957-33-1219-2（平裝）
1. 中國歷史

610.9　　84006882

皇冠叢書第2475種
第九集【南北朝－隋代】
全新吳姐姐講歷史故事〔注音本〕

作　　者—吳涵碧
繪　　圖—劉建志
發 行 人—平雲
出版發行—皇冠文化出版有限公司
台北市敦化北路120巷50號
電話◎02-27168888
郵撥帳號◎15261516號
皇冠出版社(香港)有限公司
香港銅鑼灣道180號百樂商業中心
19字樓1903室
電話◎2529-1778　傳真◎2527-0904
印　　務—林佳燕
校　　對—皇冠校對組
著作完成日期—1992年01月01日
香港發行日期—1995年09月25日
初版一刷日期—1995年10月01日
初版二十九刷日期—2021年05月
法律顧問—王惠光律師

如有破損或裝訂錯誤，請寄回本社更換
讀者服務傳真專線◎02-27150507
電腦編號◎350009
ISBN◎978-957-33-1219-2
Printed in Taiwan
本書定價◎新台幣150元/港幣45元